TODO OÍDOS

Clase de comprensión auditiva

SUSANA MARTÍN LERALTA

TODO OÍDOS

Clase de comprensión auditiva

Autora: Susana Martín Leralta
Coordinación editorial: Ernesto Rodríguez
Redacción: Ernesto Rodríguez
Diseño: Oscar García Ortega
Maquetación: Luis Luján
Corrección: Alba Vilches
Documentación: María del Carmen Nasarre

Fotografía de cubierta: Yojik/Dreamstime
Fotografías: pág. 8 Difusión; pág. 12 Nyul/Dreamstime, journeyscoffee/Flickr, mikecogh/Flickr, Alexander Podshivolov/Dreamstime, Difusión; pág. 23 Ben Goode/Dreamstime, Richard Connors/Dreamstime, Alex Saveri/Dreamstime; pág. 38 Stylishjo/Flickr, Marcelo Siqueria/Flickr; pág. 71 Adam121/Dreamstime, Hartphotography/Dreamstime; pág. 84 Lucidwaters/Dreamstime, Huating/Dreamstime, Javier Soriano/Gettyimages, Pedro Armestre/Gettyimages.

Locutores: Luis García Márquez, Gloria Cano Rullo, Edith Moreno, Luis Luján, Agustín Garmendia, Laia Sant, Paco Riera, Iñaki Calvo, António Béjar, Ernesto Rodríguez, Pablo Garrido, Sergio Troitiño, Veronika Plainer, Gema Ballesteros, Mireia Boadella, Lourdes Muñiz, Alicia Carreras, Eva Llorens.

ISBN: 978-84-8443-727-7
Depósito legal: B-38.826-2011
Impreso en España por Novoprint

C/ Trafalgar, 10, entlo. 1ª
08010 Barcelona
Tel. (+34) 93 268 03 00
Fax (+34) 93 310 33 40
editorial@difusion.com

www.difusion.com

ÍNDICE

PRÓLOGO

Escuchar y entender son totalmente necesarios para aprender a hablar un idioma. Sin embargo, los profesores tienden a dejar en un segundo plano la didáctica de la comprensión oral por razones justificadas: requiere tiempo, materiales adecuados desde el punto de vista lingüístico y de buena calidad para reproducirlos en el aula.

Además, "enseñar a comprender lo que se escucha" resulta complicado, ya que la escucha es una operación individual y diferente para cada persona, e invisible para el profesor. ¿La manera de escuchar de los alumnos es eficaz para resolver las tareas de comprensión que les proponemos? ¿Dónde fallan? ¿Cómo ayudarles a mejorar aplicando estrategias útiles y adecuadas a su estilo de aprendizaje? ¿Escuchan todos del mismo modo o cada uno tiene sus propios puntos fuertes y débiles como oyente? Estos interrogantes nos conducen a un enfoque didáctico de la comprensión oral orientada a los procesos de escucha, que tenga en cuenta las habilidades y estrategias que permiten que las palabras que oímos se procesen en nuestra mente para convertirse en significados.

Todo oídos presenta unas unidades didácticas diseñadas principalmente a partir de las habilidades de comprensión auditiva y, de manera paralela, a partir de los conocimientos lingüísticos que afectan al entendimiento de los mensajes orales. De este modo, las actividades se orientan a ejercitar las habilidades de comprensión, mientras que los mensajes orales tienen en cuenta los géneros discursivos, funciones, vocabulario, gramática, pronunciación y prosodia, y referencias culturales adecuados para los aprendices de los niveles A1 (unidades 1-10) y A2 (unidades 11-20).

Se trata de un material que trabaja la comprensión oral sin apoyo de la imagen, para favorecer la concentración del alumno en un único estímulo sensorial.

Para responder a las necesidades de alumnos y profesores, el material consta de un libro diferente para cada uno. Todas las unidades contienen dos audios relacionados entre sí: uno para trabajar la comprensión guiada por el docente en el aula y otro para ejercitarla de manera autónoma en casa. De esta forma, el profesor puede ayudar al alumno a dirigir sus procesos de escucha, mientras que este tiene la oportunidad de aplicar posteriormente las pautas recomendadas y poner a prueba nuevamente sus capacidades de una manera más personalizada, con lo que se dedica a la comprensión oral el tiempo deseable, pero evitando consumir un tiempo de clase que resultaría excesivo.

En cada unidad del libro del alumno las actividades están distribuidas en cinco bloques de objetivos diferenciados:

ESCUCHAMOS JUNTOS EN CLASE

Propone una secuencia de actividades (antes, mientras y después de escuchar) y recomienda estrategias para facilitar su realización.

ESCUCHO A MI MANERA

Requiere que el aprendiz preste atención a su manera de escuchar y aplique algunas estrategias útiles para la tarea propuesta.

ESCUCHO Y ME FIJO EN LA LENGUA

Tiene como objetivo una atención consciente a la forma del mensaje para el aprendizaje de algún contenido lingüístico concreto (gramatical, léxico o pragmático).

Autoevaluación

El aprendiz tiene ocasión de valorar su comprensión y la utilidad de las estrategias aplicadas.

Consejos

Pautas para redirigir los procesos de escucha que no hayan resultado eficaces en esta tarea, o para aplicar lo que se ha ejercitado en situaciones fuera del entorno académico.

También, para facilitar la labor del docente y para fomentar la autonomía de los aprendices, se incluyen las transcripciones de los audios y las soluciones de las actividades.

Esperamos que este material sirva para desarrollar la comprensión auditiva de los alumnos de una manera más motivadora, sistemática y consciente para ellos, lo que contribuirá a un aprendizaje más significativo de la lengua.

Susana Martín Leralta

CORRESPONDENCIA DE NIVELES, HABILIDADES DE COMPRENSIÓN Y CONTENIDOS

Unidad	Habilidades de comprensión y estrategias	Géneros discursivos y contexto	
1. ¿Quién soy?	Comprender preguntas. Identificar palabras clave.	Conversaciones informales cara a cara: un juego entre amigos.	
2. Hola y adiós	Identificar la relación entre los interlocutores. Identificar el registro de la conversación.	Conversaciones breves correspondientes a diferentes registros.	
3. Famosas, ¿guapas y ricas?	Identificar palabras clave y elaborar el significado.	Conversaciones formales cara a cara.	
4. Donde comen dos, comen tres	Identificar los patrones de entonación enunciativa, interrogativa y exclamativa.	Conversaciones informales entre amigos.	
5. Contigo al fin del mundo	Distinguir la relación entre los interlocutores.	Conversación transaccional.	
6. Estas Navidades, regala ilusión	Identificar los patrones de entonación enunciativa, interrogativa y exclamativa.	Anuncio publicitario. Conversación informal.	
7. Mujer blanca, soltera, busca	Comprender la idea principal. Comprender preguntas.	Anuncio de prensa. Conversación informal.	
8. ¿Dónde he oído yo esto?	Atender a los rasgos prosódicos y a la alternancia de voces.	Mensajes cortos de información de servicio público.	
9. Tu media naranja	Relacionar la información nueva con la anteriormente escuchada y establecer juicios de valor al respecto.	Concurso radiofónico.	
10. ¿Por qué brindamos?	Identificar el tema tratado. Comprender la idea principal.	Programa radiofónico.	
11. Conócete a ti mismo	Usar imágenes mentales. Distinguir entre información necesaria e irrelevante.	Instrucciones. Test de personalidad.	
12. ¡Preparados, listos, ya!	Reaccionar a mensajes orales que no requieren una respuesta verbal, sino física.	Instrucciones.	
13. ¡Venga, mamá, por favor...!	Atender a la entonación para interpretar la intención comunicativa de los hablantes.	Conversaciones informales cara a cara y por teléfono.	
14. La realidad supera a la ficción	Establecer y comprobar hipótesis. Seleccionar palabras clave.	Noticia radiofónica.	
15. Luces, cámara, ¡acción!	Usar imágenes mentales. Establecer y comprobar hipótesis.	La sinopsis de un cortometraje. La narración oral (el relato).	
16. Si desea otra información, espere	Buscar la información relevante. Reducir la ansiedad ante las llamadas telefónicas.	Conversación telefónica transaccional.	
17. Más vale prevenir	Interpretar mensajes persuasivos a partir de la identificación de los valores a los que apela.	Anuncios publicitarios de servicio público.	
18. ¿Trabajar para vivir o vivir para trabajar?	Localizar las palabras relacionadas con un tema concreto en mensajes con léxico específico.	Conversaciones formales e informales en el contexto laboral.	
19. Sospechosos habituales	Establecer y comprobar hipótesis. Manejarse con la ambigüedad transitoria.	El interrogatorio judicial.	
20. La actualidad en tres minutos	Reconocer la estructura del texto oral para localizar información y mantener la atención en mensajes largos.	El boletín informativo de la radio.	

Funciones	Léxico	Contenidos culturales
Dar y pedir información personal.	Identidad personal, características físicas.	Convenciones para describir el aspecto físico.
Saludarse y responder a un saludo.	Usted/tú. Fórmulas de cortesía para saludarse y devolver un saludo.	El saludo y las normas de cortesía relacionadas. Convenciones en el trato.
Dar información sobre una tercera persona. Describir. Narrar.	Variedades lingüísticas. Identidad personal.	Variedades lingüísticas. Identidad personal: procedencia y profesión.
Expresar costumbres y hábitos, gustos y preferencias.	Comidas y bebidas.	Convenciones para hacer y aceptar cumplidos.
Dar y pedir información. Preguntar por planes e intenciones.	Viajes.	Convenciones para negociar respetuosamente.
Expresar opinión, acuerdo y desacuerdo, mostrar escepticismo.	Regalos de Navidad. Lenguaje coloquial.	La publicidad española de Navidad. Tradiciones navideñas españolas.
Dar y pedir información sobre persona, cosa, finalidad y razón.	Vivienda (partes de la casa y mobiliario).	Convenciones relacionadas con la búsqueda de piso. Valor que se le da a las características de la casa.
Dar información sobre lugar, hora, cantidad y precio. Advertir.	Servicios públicos de venta y transporte.	La información al usuario en situaciones cotidianas.
Dar y pedir información personal, expresar gustos, intereses y preferencias.	Identidad personal, ocio y tiempo libre.	Relaciones sentimentales y de amistad: conocer gente.
Contar anécdotas. Narrar en pasado. Hablar sobre usos y costumbres.	Usos y costumbres asociados a fiestas, ceremonias y celebraciones.	Fiestas, ceremonias y celebraciones de los países hispanos.
Describir personas y lugares.	Naturaleza y paisaje. Carácter y sentimientos.	Sentirse bien.
Comprender instrucciones.	Las partes del cuerpo. Verbos de movimiento. El imperativo.	Valor del imperativo.
Hacer planes y sugerencias. Dar y pedir opinión.	Ocio y tiempo libre.	Relaciones padres-hijos. Juventud y ocio.
Narrar hechos en pasado.	Las noticias de sucesos.	Seguridad y delincuencia.
Describir personas. Narrar acontecimientos en presente y en pasado.	Relaciones personales. Familia y pareja.	El relato cinematográfico.
Dar y pedir información personal. Pedir confirmación.	Servicios de atención e información al cliente.	Convenciones sociales relacionadas con la interacción entre cliente y proveedor del servicio.
Aconsejar, advertir, convencer.	Salud. Prevención de enfermedades y accidentes.	Las campañas publicitarias de salud pública y prevención de riesgos.
Dar y pedir opinión. Expresar acuerdo y desacuerdo.	Trabajo.	Convenciones sociales en el ámbito laboral. Derechos y deberes de los trabajadores.
Argumentar. Poner excusas. Narrar en pasado.	Seguridad y delincuencia.	Relaciones con la autoridad.
Dar información sobre acontecimientos de actualidad.	Política, economía, cultura, deportes, pronóstico meteorológico, tráfico.	Acontecimientos relevantes de la actualidad.

1. ¿Quién soy?

ESCUCHAMOS JUNTOS EN CLASE

ANTES DE ESCUCHAR

1 ¿Conoces el juego de "Quién soy"? Cada jugador tiene una identidad secreta que él no conoce pero los otros sí. Tiene que hacer preguntas para adivinar su identidad. Los demás jugadores solo pueden responder *sí* o *no*. ¿Qué tipo de personajes aparecen normalmente en este juego?

- Actores famosos ....

....

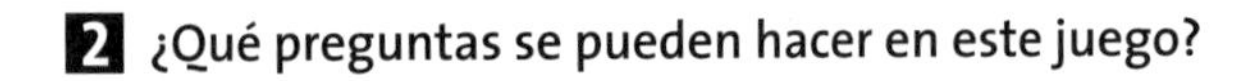

2 ¿Qué preguntas se pueden hacer en este juego?

- ¿Soy una mujer? ....

....

MIENTRAS ESCUCHAS

CD 1 / 1

3 Vamos a escuchar a unos amigos que juegan a "Quién soy". Escuchamos las primeras 6 preguntas para adivinar cada personaje. ¿Sabes de quién se trata?

Personaje 1 ....

Personaje 2 ....

CD 1 / 2

4 Escuchamos ahora la segunda parte del juego. Son 6 preguntas más. ¿Sabes de qué personaje se trata? ¿En qué pregunta lo has sabido?

Personaje 1	Pregunta ....
Personaje 2	Pregunta ....

DESPUÉS DE ESCUCHAR

5 ¿Os ha resultado difícil adivinar la identidad de vuestro personaje? ¿Por qué? ¿Faltaba alguna pregunta importante?

6 En grupos, elegid un personaje. Otro grupo tiene que adivinar su identidad. Haced una ronda del juego y ¡escuchaos bien unos a otros para adivinar quiénes sois!

- ¿Es un hombre?
- Sí...

ESCUCHO A MI MANERA

Prepara con tu profesor la audición que harás en casa. Si no entiendes alguna pregunta, él te ayudará.

MIENTRAS ESCUCHAS

1 Vas a escuchar a dos amigos jugando a un juego parecido. Cada uno representa a un personaje famoso y el otro puede hacer cinco preguntas. ¿Puedes adivinar la identidad de los dos personajes?

Personaje 1 ....

Personaje 2 ....

ESCUCHO Y ME FIJO EN LA LENGUA

Para hablar sobre información personal usamos principalmente los verbos **ser** y **estar**.

Escucha de nuevo y fíjate en el uso de cada uno de estos verbos. ¿Cuándo se usa ser **y cuándo se usa** estar**? Márcalo en las siguientes opciones:**

a. Ser/estar hombre o mujer

b. Ser/estar joven o viejo

c. Ser/estar famoso o desconocido

d. Ser/estar vivo o muerto

e. Ser/estar escritor, pintor, actor, artista...

f. Ser/estar español, mexicano, chileno...

g. Ser/estar alto o bajito

Autoevaluación

Estoy satisfecho con mi comprensión.

☹	😐	🙂	😊	😄

He comprendido bien...

- ☐ las palabras clave para realizar bien la tarea.
- ☐ palabras conocidas.
- ☐ palabras nuevas que entiendo por el contexto o porque son parecidas en un idioma que conozco.
- ☐ otras cosas: ....

He tenido dificultad para comprender las conversaciones por estas causas:

- ☐ La velocidad.
- ☐ Había muchas palabras desconocidas.
- ☐ Necesitaba información cultural para comprender.
- ☐ No podía concentrarme en la audición. ¿Por qué? ....
  ....
- ☐ Otra causa: ....

Para comprender me ha resultado útil...

- ☐ escuchar varias veces las conversaciones.
- ☐ imaginar posibles preguntas del juego "quién soy/quién eres" antes de escuchar.
- ☐ otras estrategias: ....

Puedes comentar con tu profesor los resultados de esta autoevaluación, él te puede ayudar a mejorar tus puntos débiles y sacar más provecho de tus puntos fuertes.

Consejos

- Es normal encontrar muchas palabras desconocidas en una conversación. Lo importante es centrar la atención en las palabras que nos parecen clave para hacer bien la tarea. A veces necesitamos recordar esas palabras para completar después una información. En ese caso, es útil tomar nota de las palabras clave, que pueden ser conocidas o desconocidas.
- Muchas veces podemos entender palabras nuevas porque son parecidas a otras de un idioma que conocemos.

2. Hola y adiós

ESCUCHAMOS JUNTOS EN CLASE

ANTES DE ESCUCHAR

1 En todas las lenguas hay diferentes formas de saludar y de despedirse. Todo depende del contexto y de la relación entre los hablantes. ¿De qué manera se saluda en tu lengua?

Saludos entre amigos	Saludos entre desconocidos

2 ¿Conoces alguna forma para saludar en español? ¿En qué contexto puedes usarla?

Saludos entre amigos	Saludos entre desconocidos

MIENTRAS ESCUCHAS

Estrategia:
La entonación de los hablantes y la velocidad a la que hablan también puede ayudarte a interpretar cómo es su relación.

3 Vas a escuchar 6 saludos entre hispanohablantes. Intenta identificar la relación que hay entre ellos, ¿crees que son saludos formales (F) o informales (I)?

	F	I
Saludo 1:	☐	☐
Saludo 2:	☐	☐
Saludo 3:	☐	☐
Saludo 4:	☐	☐
Saludo 5:	☐	☐
Saludo 6:	☐	☐

4 Observa estas situaciones. Escucha de nuevo el audio para relacionar cada conversación con la situación correspondiente.

☐ **Médico y paciente**

☐ **Dos estudiantes en un bar**

☐ **Dos compañeros de trabajo**

☐ **Azafata de un avión**

☐ **Dos amigos que se reencuentran**

☐ **Un camarero y un cliente**

DESPUÉS DE ESCUCHAR

5 ¿Qué pistas te han ayudado?

- ☐ Palabras clave: ....
- ☐ Otras señales: ....
- ☐ La entonación

6 En los audios has escuchado varias maneras de saludar. ¿Conoces más saludos en español? Escríbelos a continuación:

....

....

....

....

....

ESCUCHO A MI MANERA

Prepara con tu profesor la audición que harás en casa.
Si no entiendes alguna pregunta, él te ayudará.

MIENTRAS ESCUCHAS

1 **Vas a escuchar 4 despedidas. Identifica la situación comunicativa: ¿quiénes son las personas que hablan? ¿Qué relación hay entre ellas? Puedes escuchar el audio más de una vez.**

Conversación 1: ....

Conversación 2: ....

Conversación 3: ....

Conversación 4: ....

DESPUÉS DE ESCUCHAR

2 **¿Qué señales te han ayudado a interpretar las conversaciones?**

- ☐ Palabras clave: ....
- ☐ Otras señales: ....
- ☐ La entonación:

ESCUCHO Y ME FIJO EN LA LENGUA

Aprender una lengua significa aprender también sus reglas de cortesía. Para despedirse, los hispanohablantes normalmente usan este esquema:

1. anunciar la despedida
2. indicar que siguen en contacto
3. desear algo bueno a la otra persona
4. decir una fórmula de despedida

Escucha de nuevo el audio. ¿En todas las conversaciones aparecen estos cuatro contenidos? Responde Sí o No:

Conversación 1:

Conversación 2:

Conversación 3:

Conversación 4:

Autoevaluación

Estoy satisfecho con mi comprensión.

He comprendido bien...

- ☐ algunas señales para interpretar la situación.
- ☐ palabras y expresiones concretas.
- ☐ otras cosas: ....

He tenido dificultad para comprender las conversaciones por estas causas:

- ☐ La velocidad.
- ☐ Había muchas palabras desconocidas.
- ☐ Necesitaba información cultural para comprender.
- ☐ No podía concentrarme en la audición. ¿Por qué? ....
  ....
- ☐ Otra causa: ....

Para comprender me ha resultado útil...

- ☐ escuchar varias veces las conversaciones.
- ☐ leer las preguntas antes de escuchar.
- ☐ prestar atención a la entonación.
- ☐ otras estrategias: ....

Puedes comentar con tu profesor los resultados de esta autoevaluación, él te puede ayudar a mejorar tus puntos débiles y sacar más provecho de tus puntos fuertes.

Consejos

- Las palabras y expresiones que se usan en la conversación dependen de la relación que hay entre los hablantes. Identificar esa relación y el registro (formal/informal) puede ayudarte a interpretar correctamente una conversación.
- Para entender el registro, puede ser útil fijarse en el uso de **tú**/**usted**, en las fórmulas de saludo y despedida que ahora conoces, y en la estructura de la conversación.

3. Famosas ¿guapas y ricas?

ESCUCHAMOS JUNTOS EN CLASE

ANTES DE ESCUCHAR

1 Una revista quiere entrevistar a una mujer hispana famosa.
¿A quién podrían entrevistar? ¿Conoces mujeres famosas del mundo hispano? ¿A qué se dedican?

– *Penélope Cruz, es actriz*..

....

....

MIENTRAS ESCUCHAS

Estrategia:
Busca la información que puede darte la clave; en este caso, país de origen y profesión del personaje.

CD 1 6

2 En grupos, vamos a escuchar la conversación del jefe de redacción y varios periodistas de la revista, en la que proponen a diferentes mujeres famosas para hacerles la entrevista. Discutid entre los miembros de cada grupo a qué personajes se refieren.

Personaje 1: ....

Personaje 2: ....

Personaje 3: ....

Personaje 4: ....

CD 1 6

3 Escuchad de nuevo el audio y extraed la información de cada personaje que os parece más relevante. ¿Hay alguna información que os ha sorprendido?

Personaje 1: ....

....

Personaje 2: ....

....

Personaje 3: ....

....

Personaje 4: ....

....

DESPUÉS DE ESCUCHAR

1 Ahora que ya conocéis la identidad de las cuatro mujeres, decidid quién os parece más interesante para la entrevista. ¿Qué preguntas podéis hacerle?

....

....

ESCUCHO A MI MANERA

➡ Prepara con tu profesor la audición que harás en casa.
Si no entiendes alguna pregunta, él te ayudará.

MIENTRAS ESCUCHAS

CD 1 7

1 Los redactores de la revista ya han elegido a la mujer que va a ser entrevistada y ahora tienen que decidir las preguntas. Escucha el audio y marca los temas sobre los que van a preguntarle.

- ☐ Su último proyecto profesional
- ☐ Su vida personal
- ☐ Sus amistades
- ☐ Su último concierto
- ☐ Sus opiniones políticas
- ☐ Sus proyectos solidarios

CD 1 7

2 Escucha de nuevo el audio e intenta adivinar el personaje que han elegido para la entrevista. ¿Qué información o qué palabras te han dado la clave?

....

....

ESCUCHO Y ME FIJO EN LA LENGUA

Para ampliar el vocabulario es mejor aprender expresiones que palabras aisladas.

CD 1 7

Escucha de nuevo el audio y fíjate en las expresiones que se forman con los siguientes verbos. Relaciona las dos columnas.

a. Tomar	**1.** un disco
b. Defender	**2.** la situación
c. Jugar	**3.** una decisión
d. Publicar	**4.** de gira
e. Estar	**5.** un papel
f. Mejorar	**6.** los derechos

Autoevaluación

Estoy satisfecho con mi comprensión.

☹	😐	🙂	😊	😄

He comprendido bien...

- ☐ las palabras clave para realizar la tarea.
- ☐ palabras conocidas.
- ☐ palabras nuevas que puedo entender por el contexto o porque son parecidas en un idioma que conozco.
- ☐ otras cosas: ....

He tenido dificultad para comprender las conversaciones por estas causas:

- ☐ La velocidad.
- ☐ El acento de los hablantes.
- ☐ Hay muchas palabras desconocidas.
- ☐ Necesito más información cultural para comprender.
- ☐ No podía concentrarme en la audición. ¿Por qué? ....
  ....
- ☐ Otra causa: ....

Para comprender me ha resultado útil...

- ☐ escuchar varias veces las conversaciones.
- ☐ imaginar posibles personajes y posibles preguntas para la entrevista antes de escuchar los audios.
- ☐ otras estrategias: ....

Puedes comentar con tu profesor los resultados de esta autoevaluación, él te puede ayudar a mejorar tus puntos débiles y sacar más provecho de tus puntos fuertes.

Consejos

- En nuestra vida diaria escuchamos muchos mensajes que tienen un contenido y un vocabulario complicado, como, por ejemplo, los mensajes de los medios de comunicación. En estos casos, es útil pensar primero en lo que sabemos sobre el tema y en las palabras que pueden aparecer.
- Encontrar las palabras clave y, después, reconstruir el significado colaborando con otros compañeros, va a prepararte para comprender los mensajes que puedes escuchar fuera de la clase de español.

4. Donde comen dos, comen tres

ESCUCHAMOS JUNTOS EN CLASE

ANTES DE ESCUCHAR

1 ¿Cuál es tu comida favorita? ¿Qué comidas no te gustan nada? ¿Qué comida preparas cuando tienes invitados?

....

....

....

2 ¿Conoces algún plato de algún país hispanohablante? ¿Sabes qué ingredientes lleva?

Platos	Ingredientes

MIENTRAS ESCUCHAS

Estrategia
Si no conoces una palabra, intenta escribirla como suena.

CD 1 8

3 Ana y Alejandro tienen invitados a cenar esta noche, pero no saben qué preparar porque sus invitados son un poco especiales. Escucha el audio para conocer en qué aspecto son especiales. Puedes escribir la respuesta en tu idioma si lo prefieres.

Carlos: ....

Elena: ....

Cristina: ....

4 Ahora que conoces a los invitados, ¿puedes recomendar a Ana y Alejandro un plato adecuado para los tres?

....

....

....

CD 1 8

5 **Ahora responde a estas preguntas. A continuación, escucha de nuevo el audio y comprueba.**

a. ¿De qué platos hablan Ana y Alejandro?

....

....

....

b. ¿Qué ingredientes lleva cada uno de ellos?

Platos	Ingredientes

c. ¿Se ponen de acuerdo Ana y Alejandro rápidamente en alguna cosa? ¿En qué?

....

....

....

....

DESPUÉS DE ESCUCHAR

6 **¿Qué plato crees que van a preparar finalmente?**

....

....

....

....

7 **¿Te llama la atención alguna palabra o expresión?**

....

....

....

....

....

....

ESCUCHO A MI MANERA

Prepara con tu profesor la audición que harás en casa.
Si no entiendes alguna pregunta, él te ayudará.

MIENTRAS ESCUCHAS

1 **Vas a escuchar la opinión de los invitados sobre la cena. Lee las preguntas y escucha el audio. Puedes escuchar el audio más de una vez.**

¿Qué plato preparan finalmente Ana y Alejandro?

....

....

¿Qué aspectos de este plato valoran los invitados?

....

....

....

ESCUCHO Y ME FIJO EN LA LENGUA

Cada cultura tiene sus normas de cortesía. Cuando reciben un cumplido, los españoles normalmente dicen algo para quitar importancia a aquello que la gente está elogiando.

Ahora ya has escuchado los cumplidos de Cristina, Elena y Carlos por la cena. Escucha de nuevo el audio, ¿qué dicen Ana y Alejandro para quitar importancia a los cumplidos?

....

....

....

....

....

....

....

Autoevaluación

Estoy satisfecho con mi comprensión.

He comprendido bien...

- ☐ palabras y expresiones concretas que ya conocía.
- ☐ palabras desconocidas.
- ☐ otras cosas: ....

He tenido dificultad para comprender las conversaciones por estas causas:

- ☐ La velocidad.
- ☐ Había muchas palabras desconocidas.
- ☐ Necesitaba información cultural para comprender.
- ☐ No podía concentrarme en la audición. ¿Por qué? ....
  ....
- ☐ Otra causa: ....

Para comprender me ha resultado útil...

- ☐ escuchar varias veces las conversaciones.
- ☐ leer las preguntas antes de escuchar.
- ☐ prestar atención a la entonación.
- ☐ otras estrategias: ....

Puedes comentar con tu profesor los resultados de esta autoevaluación, él te puede ayudar a mejorar tus puntos débiles y sacar más provecho de tus puntos fuertes.

Consejos

- Cuando conocemos la idea central de un mensaje, es más fácil encontrar las palabras clave para comprender los detalles.
- A veces podemos deducir el significado de las palabras desconocidas a partir del contexto.
- También puede ser útil memorizar o tomar nota del sonido de las palabras desconocidas. Así, luego, puedes pedir ayuda para entender su significado.

5. Contigo al fin del mundo

ESCUCHAMOS JUNTOS EN CLASE

ANTES DE ESCUCHAR

1 ¿A qué lugar del mundo te gustaría viajar? ¿Por qué?

Lugar	Por qué

2 ¿Qué destinos prefieres? ¿Y qué transporte y alojamiento?

Destino	Transporte	Alojamiento

MIENTRAS ESCUCHAS

Estrategia:
Fíjate en las palabras conocidas y utiliza tu conocimiento previo sobre este tipo de situaciones.

3 María y Ricardo van a celebrar su décimo aniversario de casados. Ricardo quiere sorprender a María con un viaje y va a una agencia. Lee las preguntas y escucha el audio.

1. ¿Qué destinos ofrece la empleada de la agencia de viajes?

Destino 1 ....

Destino 2 ....

Destino 3 ....

Destino 4 ....

2. ¿Qué problemas ve Ricardo en estos destinos? Responde con alguna palabra clave, no necesitas escribir frases completas ni usar las palabras exactas del audio.

Destino 1 ....

Destino 2 ....

Destino 3 ....

Destino 4 ....

4 ¿Qué destino crees que va a elegir Ricardo? ¿Por qué?

....

....

CD 1 10

5 Ahora lee las preguntas siguientes prestando atención a las cuestiones planteadas; a continuación, escucha de nuevo el audio.

1. ¿Cuándo quieren viajar Ricardo y María?

a. El puente de mayo.
b. Un fin de semana con precios de oferta.
c. En época de calor.

2. Ricardo busca un destino...

a. de playa.
b. de turismo de aventura.
c. romántico.

3. ¿Qué incluye el primer destino?

a. Hotel y excursiones culturales.
b. Desayuno y cena en el hotel.
c. Avión y traslados desde el aeropuerto.

4. ¿Ricardo y María tienen que trabajar...

a. el lunes.
b. el martes.
c. el viernes.

DESPUÉS DE ESCUCHAR

6 ¿Qué destino crees que va a elegir Ricardo finalmente?

....

....

7 ¿Cómo crees que va a reaccionar María? Inventa el diálogo.

– ¡Hola! Adivina lo que tengo para celebrar nuestro aniversario
–¡Vaya! ¿Un regalo sorpresa?

....

....

....

....

ESCUCHO A MI MANERA

Prepara con tu profesor la audición que harás en casa.
Si no entiendes alguna pregunta, él te ayudará.

MIENTRAS ESCUCHAS

1 **Ricardo reserva finalmente un viaje y le da la noticia a María. Lee las preguntas y escucha el audio. Puedes escucharlo más de una vez.**

1. ¿Qué destino elige finalmente Ricardo?

....

2. ¿Qué opinión tiene María sobre este viaje?

a. Está muy ilusionada.

b. Está un poco decepcionada.

c. No le gusta nada la idea.

DESPUÉS DE ESCUCHAR

2 **¿Qué señales te han ayudado a comprender el mensaje?**

- ☐ Palabras clave: ....
- ☐ Otras señales: ....
- ☐ La entonación

ESCUCHO Y ME FIJO EN LA LENGUA

En la conversación, María y Ricardo utilizan las siguientes expresiones. Escucha de nuevo el audio y relaciona esas expresiones con su intención comunicativa. Presta atención a la entonación.

a. ¡Vaya!	**1.** Mostrar ironía.
b. ¡Bingo!	**2.** Mostrar disgusto, un poco de enfado.
c. ¡Vaya, hombre!	**3.** Indicar que la persona tiene razón.
d. ¡Qué tontería!	**4.** Indicar que la persona no tiene razón.
e. ¡Menuda sorpresa!	**5.** Mostrar entusiasmo.

Autoevaluación

Estoy satisfecho con mi comprensión.

He comprendido bien...

- ☐ la idea central de las conversaciones.
- ☐ palabras y expresiones concretas que ya conocía.
- ☐ algunas palabras nuevas desconocidas, gracias al contexto.
- ☐ la intención de los hablantes (para interpretar el mensaje).
- ☐ otras cosas: ....

He tenido dificultad para comprender las conversaciones por estas causas:

- ☐ La velocidad.
- ☐ Había muchas palabras desconocidas.
- ☐ No podía concentrarme en la audición. ¿Por qué? ....
  ....
- ☐ Otra causa: ....

Para comprender me ha resultado útil...

- ☐ escuchar varias veces las conversaciones.
- ☐ imaginar la conversación antes de escucharla.
- ☐ prestar atención a la entonación.
- ☐ otras estrategias: ....

Puedes comentar con tu profesor los resultados de esta autoevaluación, él te puede ayudar a mejorar tus puntos débiles y sacar más provecho de tus puntos fuertes.

Consejos

- Cuando escuchamos una conversación, podemos utilizar el conocimiento que tenemos en ese tipo de situaciones (vocabulario típico, estructura de la conversación, etc.).
- Para interpretar la opinión y el estado de ánimo de los hablantes, resulta muy útil prestar atención a su entonación.

6. Estas Navidades, regala ilusión

ESCUCHAMOS JUNTOS EN CLASE

ANTES DE ESCUCHAR

1 ¿Qué productos se consumen y se regalan normalmente en Navidad? ¿Cuáles son los productos que más se anuncian en la tele en Navidad?

Perfumes ....

....

....

....

2 ¿Tienen algo especial los anuncios publicitarios navideños? ¿Qué recursos utilizan estos anuncios? ¿Recuerdas el eslogan de algún anuncio navideño?

....

....

....

....

MIENTRAS ESCUCHAS

Estrategia:
Fíjate en las palabras clave, la música y las voces empleadas en el anuncio.

CD 1 12

3 Vas a escuchar unos anuncios de Navidad. Escucha e intenta adivinar a qué corresponde cada unos de ellos:

Anuncio 1	**a.** Es un anuncio infantil
Anuncio 2	**b.** Anuncia algo para beber
Anuncio 3	**c.** Anuncia algo para comer
Anuncio 4	**d.** Es de unos grandes almacenes

CD 1 12

4 Ahora, escucha de nuevo los anuncios y encuentra lo siguiente:

Anuncio 1. El nombre del establecimiento: ....

Anuncio 2. El eslogan publicitario: ....

Anuncio 3. Una fórmula de felicitación: ....

Anuncio 4. El producto que se anuncia: ....

DESPUÉS DE ESCUCHAR

5 ¿A quién haces regalos en Navidad? ¿Alguna vez te han hecho un regalo de Navidad que no te ha gustado nada?

....

....

....

....

ESCUCHO A MI MANERA

Prepara con tu profesor la audición que harás en casa.
Si no entiendes alguna pregunta, él te ayudará.

MIENTRAS ESCUCHAS

CD 1 13

1 **Eva y Claudia son dos amigas que están comprando regalos de Navidad. Claudia tiene que comprar un regalo para una persona que no le resulta muy simpática. Escucha una vez y descubre de quién se trata.**

....

CD 1 13

2 **Escucha de nuevo el audio y responde a las siguientes preguntas con tus propias palabras o, si lo prefieres, en tu idioma.**

a. ¿Por qué a Claudia no le resulta simpática esta persona?

....

b. ¿Qué regalos le ha hecho esta persona a Claudia la Navidad pasada? Quizá no conozcas estas palabras, ¿puedes adivinar su significado por el contexto?

....

c. ¿Qué regalos ha hecho Claudia a esta persona en los años pasados?

....

d. ¿Quién es Jorge?

....

e. ¿Qué piensa Claudia sobre la persona para la que busca un regalo?

....

f. ¿Te parecen buena idea los regalos que Claudia ha pensado para ella? ¿Tienes alguna sugerencia alternativa?

....

Estas Navidades, regala ilusión

DESPUÉS DE ESCUCHAR

3 **¿Qué señales te han ayudado a comprende el mensaje?**

- ☐ Palabras clave: ....
- ☐ Otras señales: ....
- ☐ La entonación.

ESCUCHO Y ME FIJO EN LA LENGUA

CD 1 13

1 **En la conversación, Eva y Claudia utilizan algunas expresiones coloquiales. Escucha de nuevo el audio e intenta deducir su significado por el contexto:**

1. ¡Pues eso digo yo!
a. Tienes razón.
b. Yo tengo razón.
c. Yo soy de esa misma opinión.

2. No me da la gana.
a. No quiero.
b. No me gusta.
c. No tengo dinero.

3. ¡Qué cara!
a. Jorge no cuida su imagen.
b. Jorge no quiere responsabilidades.
c. Jorge gasta mucho dinero.

2 **¿Hay en tu idioma expresiones equivalentes? Si las hay, escribe algunas.**

....
....
....
....
....
....
....

Autoevaluación

Estoy satisfecho con mi comprensión.

☹	😐	🙂	🙂	😄

He comprendido bien...

- ☐ algunas señales para interpretar la situación.
- ☐ palabras y expresiones conocidas.
- ☐ palabras nuevas que puedo entender por el contexto.
- ☐ otras cosas: ....

He tenido dificultad para comprender las conversaciones por estas causas:

- ☐ La velocidad.
- ☐ Había muchas palabras desconocidas.
- ☐ Necesitaba información cultural para comprender.
- ☐ No podía concentrarme en la audición. ¿Por qué? ....
  ....
- ☐ Otra causa: ....

Para comprender me ha resultado útil...

- ☐ escuchar varias veces las conversaciones.
- ☐ leer las preguntas antes de escuchar.
- ☐ prestar atención a la entonación.
- ☐ otras estrategias: ....

Puedes comentar con tu profesor los resultados de esta autoevaluación, él te puede ayudar a mejorar tus puntos débiles y sacar más provecho de tus puntos fuertes.

Consejos

- A veces algunas palabras desconocidas son la clave para comprender el sentido de una conversación. Si estas palabras están al principio de la conversación, no "desconectes": sigue escuchando para descubrir su significado en las frases siguientes.
- Al practicar la comprensión auditiva, lo más importante es interpretar mentalmente el significado aunque no puedas expresarlo en español. Puedes pensar en tu idioma o emplear imágenes mentales para comprender el mensaje que estás escuchando.

7. Mujer blanca, soltera, busca

ESCUCHAMOS JUNTOS EN CLASE

ANTES DE ESCUCHAR

1 La protagonista de esta unidad está buscando habitación en un piso compartido. ¿Qué palabras conoces relacionadas con la casa y la búsqueda de piso? ¿Cuáles crees que vas a escuchar en esta audición?

Partes de la casa	Búsqueda de piso
cocina...	

2 ¿Qué cosas te parecen importantes a la hora de elegir una habitación de alquiler en un piso compartido?

....

....

....

....

MIENTRAS ESCUCHAS

Estrategia:
Cuando tengas que tomar notas mientras escuchas, puedes utilizar palabras de tu propio idioma si te resulta más rápido.

3 Hanna busca habitación en un piso compartido. Su amiga Teresa la está ayudando. Escucha su conversación y toma notas sobre las características de los dos pisos que les interesan. Escucha la conversación dos veces.

Partes de la casa		Búsqueda de piso	
Ventajas	Inconvenientes	Ventajas	Inconvenientes
Precio		Precio	

DESPUÉS DE ESCUCHAR

4 ¿Cuál de los dos pisos le recomendarías a Hanna? ¿Por qué?

....

....

ESCUCHO A MI MANERA

Prepara con tu profesor la audición que harás en casa.
Si no entiendes alguna pregunta, él te ayudará.

MIENTRAS ESCUCHAS

CD 1 15

1 Hanna va a ver uno de los pisos y una persona le enseña la casa. Hablan de tres temas: partes de la casa y mobiliario, el barrio y los compañeros del piso. Primero, toma nota de las palabras clave de cada tema, aunque no puedas entender bien todo. Puedes escuchar dos veces si lo necesitas.

Partes de la casa y mobiliario	Barrio	Compañeros de piso

CD 1 15

2 Ahora, escucha de nuevo la conversación y presta atención a la opinión de Hanna sobre los tres temas:

Partes de la casa y mobiliario	Barrio	Compañeros de piso

3 ¿Crees que Hanna va a alquilar esta habitación? ¿Por qué? ¿Qué información te ha dado la clave?

....

....

....

....

ESCUCHO Y ME FIJO EN LA LENGUA

1 **Hanna utiliza las siguientes expresiones para expresar sus opiniones. ¿Crees que son positivas o negativas?**

¡Qué bien! ....

No lo veo mal..

Pues qué bien. ....

Bueno,..

Menuda suerte ....

CD 1 14 - 15

2 **Escucha de nuevo la audición. Ahora que oyes las expresiones en contexto, ¿tienen el mismo sentido?**

....

....

....

....

....

Autoevaluación

Estoy satisfecho con mi comprensión.

He comprendido bien...

- ☐ palabras conocidas.
- ☐ la opinión de los hablantes.
- ☐ palabras nuevas que puedo entender por el contexto.
- ☐ otras cosas: ....

He tenido dificultad para comprender las conversaciones por estas causas:

- ☐ La velocidad.
- ☐ Había muchas palabras desconocidas.
- ☐ Necesitaba información cultural para comprender.
- ☐ No podía concentrarme en la audición. ¿Por qué? ....
  ....
- ☐ Otra causa: ....

Para comprender me ha resultado útil...

- ☐ escuchar varias veces las conversaciones.
- ☐ tomar nota de las palabras e informaciones importantes.
- ☐ fijarme en la entonación de los hablantes.
- ☐ otras estrategias: ....

Puedes comentar con tu profesor los resultados de esta autoevaluación, él te puede ayudar a mejorar tus puntos débiles y sacar más provecho de tus puntos fuertes.

Consejos

- Puede ser fácil comprender audios en los que la mayor parte del vocabulario son palabras concretas (no abstractas) que ya conocemos. Pero cuando tenemos que hacer una valoración sobre estas informaciones, la tarea es más complicada. Para ello resulta útil tomar nota de las palabras que pueden ayudarte a recordar o reconstruir el mensaje completo.
- La entonación de los hablantes te ayudará a interpretar mejor su opinión.

8. ¿Dónde he oído yo esto?

ESCUCHAMOS JUNTOS EN CLASE

ANTES DE ESCUCHAR

1 A veces escuchamos mensajes públicos que nos informan o avisan de algo. ¿Se te ocurre algún ejemplo?

- Estación de tren

2 ¿Qué dificultades tenemos para entender este tipo de mensajes en otro idioma?

MIENTRAS ESCUCHAS

Estrategia:
Presta atención a las palabras clave, la entonación de los hablantes y la alternancia de voces. Utiliza también tu experiencia sobre este tipo de situaciones

3 Escucha los siguientes mensajes e identifica la situación comunicativa a la que corresponden. Después, responde, ¿por qué lo has sabido?

Mensaje	Situación comunicativa	¿Por qué lo has sabido?
Mensaje 1		
Mensaje 2		
Mensaje 3		
Mensaje 4		

DESPUÉS DE ESCUCHAR

4 ¿Existe algún parecido o diferencia entre estos mensajes en español y los equivalentes en tu lengua?

....

....

....

....

ESCUCHO A MI MANERA

Prepara con tu profesor la audición que harás en casa.
Si no entiendes alguna pregunta, él te ayudará.

MIENTRAS ESCUCHAS

CD 1 17

1 **Vas a escuchar tres mensajes de aviso. Cada uno de ellos exige una "respuesta" diferente en la vida real. Lee las preguntas, escucha el audio y responde:**

1

Estás en una estación de tren. Elige una ciudad a la que quieras viajar: Valencia, Sevilla, Málaga o Barcelona. Escucha y toma nota de la siguiente información sobre tu tren:

Vía:..

Hora:..

2

Ahora vas a escuchar un mensaje de aviso. Puedes responder en tu idioma:

¿A quién va dirigido? ....

¿Qué deben hacer estas personas? ....

....

....

3

Ahora vas a escuchar otro mensaje de aviso. Puedes responder en tu idioma:

¿A quién va dirigido? ....

¿Qué deben hacer estas personas ....

....

....

¿Dónde he oído yo esto?

DESPUÉS DE ESCUCHAR

2 Imagina dónde puedes oír los mensajes 2 y 3.

....

....

....

....

ESCUCHO Y ME FIJO EN LA LENGUA

Los mensajes de aviso suelen utilizar expresiones de orden o consejo.
En estos casos, se utilizan verbos de petición y/o el imperativo.

CD 1 17

¿Qué formas verbales se utilizan en los mensajes 2 y 3?

....

....

....

Autoevaluación

Estoy satisfecho con mi comprensión.

He identificado bien...

- ☐ palabras y expresiones conocidas.
- ☐ la situación en la que se producía el mensaje.
- ☐ otras cosas: ....

He tenido dificultad para comprender las conversaciones por estas causas:

- ☐ La velocidad.
- ☐ Había muchas palabras desconocidas.
- ☐ Había demasiada información en poco tiempo.
- ☐ Los mensajes no estaban contextualizados.
- ☐ No podía concentrarme en la audición. ¿Por qué? ....
  ....
- ☐ Otra causa: ....

Para comprender me ha resultado útil...

- ☐ leer las preguntas antes de escuchar.
- ☐ escuchar varias veces la audición.
- ☐ imaginar la situación en la que se producía el mensaje.
- ☐ utilizar mi conocimiento y experiencia en estas situaciones.
- ☐ prestar atención a la entonación de los hablantes y el cambio de voces.
- ☐ otras estrategias: ....

Puedes comentar con tu profesor los resultados de esta autoevaluación, él te puede ayudar a mejorar tus puntos débiles y sacar más provecho de tus puntos fuertes.

Consejos

- En los mensajes de aviso debemos identificar únicamente la información que nos interesa porque va dirigida a nosotros. No hay por qué prestar atención a todo.
- La experiencia que tenemos sobre situaciones de la vida pública nos puede ayudar a entender estos mensajes de aviso.
- La entonación de los hablantes en los mensajes de aviso también nos puede ayudar a comprenderlos.

9. Tu media naranja

ESCUCHAMOS JUNTOS EN CLASE

ANTES DE ESCUCHAR

1 ¿Qué te sugiere el título de esta unidad? ¿Sabes lo que significa "ser la media naranja de alguien"?

....

....

....

2 ¿Dónde se puede conocer gente para encontrar pareja?

En el trabajo, ...

....

....

....

3 Vamos a escuchar el programa de radio "Tu media naranja". Los participantes buscan pareja. Tienen un minuto para presentarse. Los candidatos interesados tienen que llamar por teléfono al programa para presentarse también. Los oyentes del programa deciden quién es la pareja ideal. ¿Conoces algún programa de radio similar?

....

....

....

....

MIENTRAS ESCUCHAS

Estrategia:
Tu conocimiento sobre las características de los concursos de la radio te puede ayudar a mantener la atención. No tienes que entender todo, solo debes buscar la información clave para realizar la tarea.

4 **Vas a escuchar la presentación del programa: el saludo del presentador y las explicaciones del concurso. Lee las preguntas, escucha y responde.**

a. ¿Te parecen claras las instrucciones del concurso?

....

b. ¿Cuántos candidatos van a participar para conocer a la concursante?

....

c. ¿Cuál es el premio para la concursante y el candidato ganador?

....

d. ¿Qué pueden ganar los oyentes que envíen un sms?

....

CD 1 18

5 **Ahora escucha y presta atención a la presentación de la concursante. Toma nota de sus características personales.**

Nombre: ....
Edad: ....
Profesión: ....
Carácter: ....
Aficiones: ....
Cualidades importantes de la pareja: ....
....
....
....
....
....

ESCUCHO A MI MANERA

Prepara con tu profesor la audición que harás en casa.
Si no entiendes alguna pregunta, él te ayudará.

MIENTRAS ESCUCHAS

1 ¿Quiénes son los candidatos para convertirse en "la media naranja" de la concursante?

1
- Nombre::..
- Edad: ....
- Profesión:...
- Aficiones:...

2
- Nombre::..
- Edad: ....
- Profesión:...
- Aficiones:...

3
- Nombre::..
- Edad: ....
- Profesión:...
- Aficiones:...

2 ¿Por qué cree cada candidato que puede hacer buena pareja con la concursante? Responde con tus propias palabras o en tu idioma si lo prefieres.

Candidato 1:..
....
....
....

Candidato 2:..
....
....
....

Candidato 3:..
....
....
....

DESPUÉS DE ESCUCHAR

3 **Escribe un sms para votar por tu candidato favorito, ¿recuerdas el número al que debes enviarlo y lo que debes escribir?**

Número:..

Texto:..

ESCUCHO Y ME FIJO EN LA LENGUA

Todavía es pronto para que tú uses bien estos conectores, pero es útil familiarizarse con ellos para comprender mejor en español.

Escucha de nuevo la presentación del primer candidato y fíjate en los conectores que utiliza para construir el mensaje uniendo las frases.

Hola, me llamo Andrés. Tengo 34 años, soy de Sevilla .... vivo en Alicante por motivos de trabajo. Soy ingeniero y estoy aquí trabajando en el aeropuerto. Y bueno, pues me gustaría conocer a Rocío .... todavía no conozco a mucha gente en Alicante. A mí también me gusta mucho la música, ... la playa no me gusta, ..., seguro que hay otras cosas que nos gustan a los dos. Yo también trabajo muchos fines de semana, como Rocío, ... comprendo muy bien el problema de conocer gente para pasar el tiempo libre.

Autoevaluación

Estoy satisfecho con mi comprensión.

He identificado bien...

- ☐ palabras y expresiones conocidas.
- ☐ palabras nuevas que puedo entender por el contexto.
- ☐ otras cosas: ....

He tenido dificultad para comprender las conversaciones por estas causas:

- ☐ La velocidad.
- ☐ Había muchas palabras desconocidas.
- ☐ Había demasiada información en poco tiempo.
- ☐ Necesitaba información cultural para comprender.
- ☐ No podía concentrarme en la audición. ¿Por qué? ....
  ....
- ☐ Otra causa: ....

Para comprender me ha resultado útil...

- ☐ leer las preguntas antes de escuchar.
- ☐ escuchar varias veces la audición.
- ☐ buscar las palabras conocidas e ignorar las desconocidas.
- ☐ utilizar mi conocimiento y experiencia en estas situaciones.
- ☐ prestar atención a la entonación de los hablantes.
- ☐ otras estrategias: ....

Puedes comentar con tu profesor los resultados de esta autoevaluación, él te puede ayudar a mejorar tus puntos débiles y sacar más provecho de tus puntos fuertes.

Consejos

- Los textos de los medios de comunicación pueden tener una gran cantidad de información y un ritmo muy rápido. Para mantener la atención, debes limitarte a buscar la información que te interesa. En la vida real tampoco prestamos atención a todo lo que escuchamos en la radio.
- Escuchar mensajes largos es útil para acostumbrarte al ritmo y la melodía del idioma, aunque solo puedas entender algunas palabras para reconstruir después el significado.

10. ¿Por qué brindamos?

ESCUCHAMOS JUNTOS EN CLASE

ANTES DE ESCUCHAR

1 ¿En qué ocasiones especiales te reúnes con tu familia o tus amigos para celebrar algo?

....

....

2 ¿Alguna vez has vivido un choque cultural en una fiesta con personas de otros países?

....

....

3 ¿Conoces alguna fiesta o celebración típica de algún país hispanohablante? ¿Hay alguna diferencia con las celebraciones de tu país?

....

....

4 Vamos a escuchar un programa de radio. Los oyentes llaman por teléfono para contar anécdotas divertidas. El tema de hoy son los choques culturales en las fiestas y celebraciones.

....

....

MIENTRAS ESCUCHAS

Estrategia:
Tu conocimiento sobre un determinado contexto te puede ayudar a comprender el sentido general de los mensajes que se producen en ese contexto. Intenta deducir los detalles concretos a partir de esta idea general. Utiliza la información del contexto para deducir las palabras desconocidas que te parezcan importantes.

CD 1 20

5 Vas a escuchar a una persona que ha vivido una anécdota por una diferencia cultural en una celebración. Escucha una vez y responde, ¿de qué celebración se trata?

....

....

....

6 Ahora lee las preguntas, escucha de nuevo y presta atención a los detalles:

País del que habla la persona: ....

Costumbre desconocida (¡y chocante!). Está relacionada con una parte del cuerpo: ....

Costumbre en el país del que habla: ....

7 Esta persona dice que, para algunos, esta costumbre es "un castigo". ¿Puedes imaginar una traducción para esta palabra, según el contexto de la conversación?

....

DESPUÉS DE ESCUCHAR

8 Tal vez te has dado cuenta de que estas personas usan una palabra distinta para referirse a lo mismo, ¿sabes cuál? Tu profesor te lo explicará.

....

....

ESCUCHO A MI MANERA

Prepara con tu profesor la audición que harás en casa.
Si no entiendes alguna pregunta, él te ayudará.

MIENTRAS ESCUCHAS

1 Ahora vas a escuchar a dos personas que llaman al programa de radio para explicar de dónde viene esta costumbre. Lee primero las preguntas y después escucha para responder:

	Oyente 1	Oyente 2
País de procedencia de la tradición		
Significado	**a.** Recordar que el tiempo pasa **b.** Alegrarse por los años pasados **c.** Desear una vida larga	**a.** Recordar que el tiempo pasa **b.** Alegrarse por los años pasados **c.** Desear una vida larga

DESPUÉS DE ESCUCHAR

2 ¿Qué explicación te gusta más? Busca en internet la explicación verdadera.

....

....

....

ESCUCHO Y ME FIJO EN LA LENGUA

CD 1 20-21

Con ayuda de la transcripción, escucha nuevamente la pista 20 y la pista 21 y fíjate en la manera de pronunciar de cada hablante, según su variedad lingüística. Además de la entonación, hay letras que pronuncian de manera diferente, ¿qué letras son? Si quieres, puedes marcarlas para preguntar después a tu profesor.

....

....

....

....

....

Autoevaluación

Estoy satisfecho con mi comprensión.

☹	😐	🙂	😊	😃

He comprendido bien...

- ☐ palabras y expresiones conocidas.
- ☐ palabras nuevas que puedo entender por el contexto.
- ☐ otras cosas: ....

He tenido dificultad para comprender las conversaciones por estas causas:

- ☐ La velocidad.
- ☐ El acento de los hablantes.
- ☐ Había muchas palabras desconocidas.
- ☐ Había demasiada información en poco tiempo.
- ☐ Necesitaba información cultural para comprender.
- ☐ No podía concentrarme en la audición. ¿Por qué?
- ☐ Otra causa: ....

Para comprender me ha resultado útil...

- ☐ escuchar varias veces la audición.
- ☐ leer las preguntas antes de escuchar.
- ☐ prestar atención a la entonación.
- ☐ utilizar mi conocimiento sobre esta situación.
- ☐ buscar las palabras conocidas e ignorar las desconocidas.
- ☐ otras estrategias: ....

Puedes comentar con tu profesor los resultados de esta autoevaluación, él te puede ayudar a mejorar tus puntos débiles y sacar más provecho de tus puntos fuertes.

Consejos

- Los textos sobre temas culturales a veces son difíciles de comprender porque no es fácil imaginar situaciones diferentes a las de nuestra cultura. Intenta mantener la atención escuchando hasta el final y fíjate en las palabras conocidas para imaginar la "escena" con su ayuda.
- La variedad lingüística de los hablantes puede dificultar la comprensión. Es útil saber que algunas letras se pronuncian de maneras diferentes en diferentes lugares del mundo hispano.

11. Conócete a ti mismo

ESCUCHAMOS JUNTOS EN CLASE

ANTES DE ESCUCHAR

1 ¿Te gustan los test de personalidad? ¿Has hecho alguna vez uno para conocerte mejor?

....

2 ¿Qué es lo más importante para ti?

....

MIENTRAS ESCUCHAS

Estrategia:
Cuando escuchamos un texto largo tenemos que diferenciar la información importante para nosotros de la que no lo es. Busca la información que te interesa y toma notas solo sobre ella: así no te cansas y puedes escuchar un texto largo hasta el final.
Si tomas notas cuando escuchas, puedes escribir en tu propio idioma si te resulta más fácil y rápido.

3 ¿Quieres saber algo más sobre tu personalidad? Con este test puedes conocerte mejor. Escucha con atención y responde a las preguntas. Puedes escribir en tu idioma y usar tus propias palabras.

a. Lugar donde estás.

¿Cómo te lo imaginas? ....

....

b. Primera cosa que te encuentras.

¿Cómo te la imaginas? ....

¿Qué haces? ....

c. Segunda cosa que encuentras.

¿Cómo te la imaginas? ....

¿Qué haces? ....

d. Tercera cosa que encuentras.

¿Cómo te la imaginas? ....

¿Qué haces? ....

DESPUÉS DE ESCUCHAR

4 Si has respondido en tu idioma, traduce tus respuestas al español.

5 Ahora, en parejas, poned en común vuestros resultados, ¿vuestras respuestas son parecidas?

ESCUCHO A MI MANERA

Prepara con tu profesor la audición que harás en casa.
Si no entiendes alguna pregunta, él te ayudará.

MIENTRAS ESCUCHAS

1 Ahora vas a escuchar los resultados del test. Vas a escuchar el significado de todas las posibles respuestas, pero solo tienes que prestar atención a la información sobre las tuyas. Puedes escuchar varias veces si lo necesitas y puedes escribir en tu idioma.

a. Lugar donde estás.

- Significado: ....
- Tu visión de la vida según tu respuesta (¡escribe solo la tuya!):

☐ Soleado: ....

☐ Oscuro: ....

☐ Con árboles: ....

☐ Sin árboles: ....

☐ Con animales: ....

☐ Sin animales: ....

b. Primera cosa que encuentras.

- Significado: ....
- Tu visión de la vida según tu respuesta (¡escribe solo la tuya!):

☐ Grande: ....

☐ Pequeño: ....

☐ Mucha agua: ....

☐ Poca agua: ....

- Tu actitud (¡escribe solo la tuya!):

☐ Cruzar: ....

☐ Bañarse: ....

☐ Continuar sin prestar atención: ....

☐ Beber: ....

☐ Otra: ....

c. Segunda cosa que encuentras.

• Significado:..............................

• Tu visión de la vida según tu respuesta (¡escribe solo la tuya!):

☐ Grande:..............................

☐ Pequeña:..............................

☐ Nueva:..............................

☐ Vieja:..............................

☐ Cerrada:..............................

☐ Abierta:..............................

☐ Otra:..............................

d. Tercera cosa que encuentras.

• Significado:..............................

• Tu visión de la vida según tu respuesta:..............................

....

....

DESPUÉS DE ESCUCHAR

2 **¿Estás de acuerdo con tus resultados del test?**

....

....

ESCUCHO Y ME FIJO EN LA LENGUA

CD 2 2 - 5

Escucha nuevamente y fíjate en el verbo que se utiliza con los siguientes adjetivos (ser/estar**):**

Positivas..............................

Peligrosos..............................

Importante..............................

Enamorado..............................

Contento..............................

Ocupado..............................

Autoevaluación

Estoy satisfecho con mi comprensión.

He comprendido bien...

- ☐ palabras y expresiones conocidas.
- ☐ palabras nuevas que puedo entender por el contexto.
- ☐ otras cosas: ....

He tenido dificultad para comprender las conversaciones por estas causas:

- ☐ La velocidad.
- ☐ Había muchas palabras desconocidas.
- ☐ Había demasiada información en poco tiempo.
- ☐ Tenía que tomar notas al mismo tiempo que escuchaba.
- ☐ No podía concentrarme en la audición. ¿Por qué?..
  ....
- ☐ Otra causa: ....

Para comprender me ha resultado útil...

- ☐ escuchar varias veces la audición.
- ☐ leer las preguntas antes de escuchar.
- ☐ imaginar las cosas que describía la audición.
- ☐ tomar notas.
- ☐ prestar atención solo a la información de mis respuestas al test.
- ☐ otras estrategias: ....

Puedes comentar con tu profesor los resultados de esta autoevaluación, él te puede ayudar a mejorar tus puntos débiles y sacar más provecho de tus puntos fuertes.

Consejos

- Usar imágenes mentales es muy útil para dar sentido a lo que oímos. También nos ayuda a recordar mejor el sentido de los mensajes que hemos oído.
- Para escuchar mejor, pon atención a las informaciones concretas que necesitas, así no te cansarás tanto.
- Tomar notas es muy útil cuando tenemos que utilizar después la información que escuchamos.

12. ¡Preparados, listos, ya!

ESCUCHAMOS JUNTOS EN CLASE

ANTES DE ESCUCHAR

1 En ocasiones escuchamos mensajes que no piden una respuesta verbal por nuestra parte. Son órdenes, peticiones o instrucciones, mensajes que nos dicen algo que debemos hacer. ¿Se te ocurre algún ejemplo?

–¡Ven aquí! ....

....

2 Algunas veces, escuchamos órdenes o instrucciones que piden una respuesta física por nuestra parte. En estas ocasiones, tenemos que comprender lo que escuchamos para reaccionar adecuadamente. ¿Qué verbos relacionados con el movimiento conoces? ¿Sabes cómo es su forma en imperativo?

– Correr – corre ....

....

MIENTRAS ESCUCHAS

Estrategia:
Repetir mentalmente las palabras que escuchas puede ayudarte a reaccionar mejor a las órdenes e instrucciones.

3 ¿Alguna vez en clase de español has tenido mucho, mucho sueño? Vamos a hacer un pequeño ejercicio para despertar todos los sentidos y estar más concentrados. Escucha las siguientes instrucciones y haz lo que te van diciendo.

DESPUÉS DE ESCUCHAR

4 ¿Cómo te has sentido realizando este ejercicio? ¿Te ha parecido difícil reaccionar a las instrucciones en español con movimientos?

....

....

ESCUCHO A MI MANERA

Prepara con tu profesor la audición que harás en casa. Si no entiendes alguna pregunta, él te ayudará.

MIENTRAS ESCUCHAS

1 ¿Te apetece hacer ahora un ejercicio relajante? De nuevo, escucha las instrucciones y haz lo que te van diciendo.

DESPUÉS DE ESCUCHAR

2 ¿Ha resultado relajante el ejercicio? ¿Y crees que te ha ayudado también a ejercitar la comprensión oral?

ESCUCHO Y ME FIJO EN LA LENGUA

1 Escucha de nuevo y fíjate en el uso de los pronombres cuando el verbo está en modo imperativo. Puedes completar los huecos.

Primero, ... de pie. Sí, sí, ...
¿Ya estás de pie? Bien, ahora, respira profundamente tres veces. Toma aire despacio y .... Una. Dos. Tres. Muy bien. Ahora cierra los ojos. ¿Ya tienes los ojos cerrados? Pues con la mano izquierda, ... la nariz. Eso es, ... la nariz con la mano izquierda. Muy bien. Ahora, abre los ojos. Levanta la mano derecha. ¡Vamos, ...! Más, más arriba, tienes que levantar más la mano, estira más el brazo. Ahora baja la mano derecha y .... sobre la cabeza.

¿Podrías formular alguna regla sobre el uso de los pronombres con el imperativo?

....

....

CD 2
7

2 Si quieres poner a prueba tu memoria, escucha de nuevo y repite después todas las partes del cuerpo humano que has oído.

....

....

3 ¿Te has fijado en el determinante que se emplea en español para hablar de las partes del cuerpo? ¿Es igual en tu idioma?

....

....

Autoevaluación

Estoy satisfecho con mi comprensión.

He comprendido bien...

- ☐ palabras aisladas.
- ☐ instrucciones completas.
- ☐ otras cosas: ....

He tenido dificultad para comprender las conversaciones por estas causas:

- ☐ La velocidad.
- ☐ Había muchas palabras desconocidas.
- ☐ Había demasiada información en poco tiempo.
- ☐ Había poco tiempo para reaccionar y cumplir las instrucciones.
- ☐ No podía concentrarme en la audición ¿Por qué?..............................
  ....
- ☐ Otra causa: ....

Para comprender me ha resultado útil...

- ☐ escuchar varias veces la audición.
- ☐ imaginar lo que se podría oír a continuación.
- ☐ repetir mentalmente las palabras que escuchaba.
- ☐ centrarme en las palabras conocidas e ignorar las desconocidas.
- ☐ otras estrategias:..............................

Puedes comentar con tu profesor los resultados de esta autoevaluación, él te puede ayudar a mejorar tus puntos débiles y sacar más provecho de tus puntos fuertes.

Consejos

- Cuando escuchamos un mensaje al que debemos dar una respuesta física, necesitamos prestar atención a las palabras exactas para poder reaccionar adecuadamente. Para mantener la atención, es útil repetir mentalmente la instrucción que estamos escuchando.
- Las actividades de comprensión oral sin respuesta verbal pueden ser muy útiles para ejercitar la capacidad de escuchar, porque podemos dedicar toda la atención a la comprensión, ya que no tenemos que pensar en una respuesta en español.

13. ¡Venga, mamá, por favor...!

ESCUCHAMOS JUNTOS EN CLASE

ANTES DE ESCUCHAR

1 Esther y Ana Lucía son dos amigas de 16 años que están haciendo planes para el fin de semana. Haz una lista de las actividades y los planes que crees que pueden proponer.

- Quedar con los amigos ....

....

2 Fíjate en el título de la unidad: ¡Venga, mamá, por favor...! ¿Qué relación imaginas que puede tener con el tema "hacer planes para el fin de semana"?

....

....

MIENTRAS ESCUCHAS

Estrategia:
Intenta fijarte en las palabras que conoces. No te preocupes si hay algunas que son desconocidas para ti.

CD 2 29

3 Escucha la conversación que tienen Esther y Ana Lucía.
Intenta distinguir la voz de cada una y hacerte una idea general del contenido de la conversación. Puedes tomar notas.

....

....

DESPUÉS DE ESCUCHAR

4 Ahora lee las preguntas siguientes prestando atención a las cuestiones planteadas; a continuación, escucha de nuevo el audio.

1. Ana Lucía le hace tres propuestas a Esther, pero a esta no le convence ninguna. Escucha la conversación y completa la tabla.

Propuestas de Ana Lucía	Motivos por los que Esther rechaza el plan

2. ¿Qué deciden hacer finalmente el sábado por la noche?

a. Ir al cine.

b. Quedarse juntas en casa para hacer un trabajo del colegio.

c. Ir a un concierto.

d. Hacer una fiesta en casa de su amiga Cristina.

3. Esther y Ana Lucía tienen una dificultad para hacer lo que les gustaría más, ¿por qué?

a. No tienen dinero.

b. Sus padres no les dejan.

c. A su amiga Cristina no le gusta este plan.

d. Tienen que hacer un trabajo del colegio.

4. ¿Cómo van a solucionar este problema?

a. Van a pedir dinero a sus padres.

b. Van a mentir a sus padres.

c. Van a convencer a su amiga Cristina.

d. Van a dormir en casa de Esther.

ESCUCHO A MI MANERA

Prepara con tu profesor la audición que harás en casa.
Si no entiendes alguna pregunta, él te ayudará.

MIENTRAS ESCUCHAS

1 Lee las siguientes preguntas y escucha el audio.

a. Esther intenta convencer a su madre con diferentes argumentos. Escucha la conversación y localiza, al menos, dos. Puedes usar tus propias palabras.

....

....

b. Además de los argumentos, ¿qué otros recursos crees que utiliza Esther para intentar convencer a su madre?

- ☐ Se enfada con ella
- ☐ Llora
- ☐ Se comporta de manera cariñosa
- ☐ Otros

CD 2
9

2 Lee las siguientes preguntas y escucha de nuevo el audio.

¿Por qué la madre de Esther no quiere darle permiso?...

....

¿Quién consigue convencer a quién?...

....

ESCUCHO Y ME FIJO EN LA LENGUA

Ahora ya entiendes la conversación entre Esther y su madre y puedes prestar atención a las palabras y expresiones que usan. Escucha de nuevo el audio y descubre las expresiones que usa la madre para negociar con su hija.

MADRE: ¿Dígame?

ESTHER: Hola, mamá, soy yo.

MADRE: ¡Hola, hija! Dime, ...

ESTHER: Mamá, que estoy en casa de Analú, es que estamos haciendo un trabajo de Historia que tenemos que entregar el lunes.

MADRE: Vale, ..., ¿y por eso me llamas?

ESTHER: No, bueno, es que todavía no hemos terminado y quería preguntarte si me puedo quedar a dormir aquí, así lo terminamos mañana.

MADRE: No, Esther, ... a papá no le gusta que duermas fuera de casa.

ESTHER: Ya lo sé, mamá, pero es que vamos fatal de tiempo y tenemos que entregarlo el lunes.

MADRE: .... tú duermes en tu casa y Ana Lucía en la suya, y mañana por la mañana te levantas pronto y vas a su casa. O, ..., puede venir ella aquí.

ESTHER: Jo, mamá, sabes que me cuesta un montón levantarme pronto. Si duermo en casa me voy a pasar toda la mañana en la cama. Anda, déjame que me quede a dormir con Analú, ¡solo por esta vez!

MADRE: Sí, sí, solo por esta vez, solo por esta vez... ¡..!

ESTHER: Jo, mamá, anda, déjame, ¡que ya no soy una niña pequeña!

MADRE: No, si ya me sé yo que tú eres mayor ....

ESTHER: ¡Venga, mamá! ¡Jo! ¡Y luego quieres que saque buenas notas!

MADRE: Anda, ..., si .... lo que yo te diga, al final vas a hacer ....

ESTHER: No te pongas así, mami, sabes que no es verdad.

MADRE: Mañana en casa a la hora de comer, ¿...?
Y dale las gracias a la madre de Ana Lucía y pórtate bien.

ESTHER: ¡Gracias, mami! ¡Un besito! ¡Hasta mañana!

Autoevaluación

Estoy satisfecho con mi comprensión.

He comprendido bien...

- ☐ la idea general de las conversaciones.
- ☐ datos sobre información concreta.
- ☐ palabras y expresiones concretas.
- ☐ otras cosas: ....

He tenido dificultad para comprender las conversaciones por estas causas:

- ☐ La velocidad.
- ☐ Había muchas palabras desconocidas.
- ☐ La forma de hablar de las chicas.
- ☐ La forma de hablar de la madre.
- ☐ No tenía suficiente información sobre el contexto.
- ☐ No podía concentrarme en la audición. ¿Por qué? ....
  ....
- ☐ Otra causa: ....

Para comprender me ha resultado útil...

- ☐ escuchar varias veces la conversación.
- ☐ leer las preguntas antes de escuchar.
- ☐ tomar nota mientras escuchaba.
- ☐ prestar atención a la entonación.
- ☐ imaginar las palabras que podrían aparecer en la conversación.
- ☐ otras estrategias: ....

Puedes comentar con tu profesor los resultados de esta autoevaluación, él te puede ayudar a mejorar tus puntos débiles y sacar más provecho de tus puntos fuertes.

Consejos

- Cuando escuchamos una conversación, es más importante prestar atención al significado que a cada una de las palabras. Tu comprensión es buena si después recuerdas el contenido del mensaje, aunque solo puedas explicarlo con tus palabras o en tu lengua.
- Antes de participar en una conversación telefónica, puede ser útil prepararla, imaginando las posibles preguntas y respuestas de tu interlocutor, así es más fácil comprenderla.

14. La realidad supera a la ficción

ESCUCHAMOS JUNTOS EN CLASE

ANTES DE ESCUCHAR

1 **Algunas veces en los periódicos o la televisión encontramos noticias que parecen increíbles. No parecen hechos reales, sino sucesos de película. ¿Has visto alguna vez una noticia de este tipo? ¿Puedes contársela a tus compañeros?**

....

....

2 **Vamos a escuchar una noticia de la radio. En la radio los periodistas suelen hablar bastante rápido, pero, por otra parte, suelen repetir las cosas importantes. El lenguaje de la radio tiene algunas fórmulas típicas para comenzar las noticias y terminarlas, o para indicar que una información todavía no es segura. Lee las siguientes expresiones y relaciónalas con su significado:**

a. Al parecer	**1.** Vamos a repetir información
b. Según fuentes policiales	**2.** La información no es segura
c. Por el momento	**3.** Para terminar
d. Parece ser que	**4.** Hasta ahora
e. Como ya les hemos informado	**5.** La policía dice que ...
f. Finalmente	**6.** La información no es segura

3 **Vamos a escuchar una noticia real. Para entenderla mejor, primero vamos a imaginar qué ha podido suceder. En grupos, inventad una posible noticia con estos cinco elementos de la noticia real. Podéis usar también las fórmulas anteriores.**

Bomba · **Perros** · **Policía** · **Mujer** · **Banco**

....

....

....

....

....

....

MIENTRAS ESCUCHAS

4 **Lee las siguientes afirmaciones, escucha la noticia y di si son verdaderas (V) o falsas (F).**

V	F	
☐	☐	El hecho ha tenido lugar en un banco de la zona centro de la ciudad.
☐	☐	Hay muchos vecinos dentro de la sucursal del banco.
☐	☐	La noticia ha sucedido por la tarde.
☐	☐	Ha habido un robo en el banco.
☐	☐	Una mujer ha puesto una bomba en el banco.
☐	☐	Los perros de la policía han encontrado una bomba en el banco.

DESPUÉS DE ESCUCHAR

Estrategia:
Los medios de comunicación son difíciles de comprender porque se dicen muchas cosas en poco tiempo. Fíjate solo en las palabras que conoces e intenta reconstruir la historia imaginando la escena.

5 **Compara la noticia con la que habías inventado con tus compañeros: ¿qué parecidos y diferencias encuentras?**

....

....

....

6 **Qué crees que va a pasar finalmente? Prueba a imaginar una historia con los siguientes elementos:**

Mujer **Novio** **Policía** **Dinero** **Teléfono**

....

....

....

....

....

....

....

....

....

La realidad supera a la ficción

ESCUCHO A MI MANERA

Prepara con tu profesor la audición que harás en casa.
Si no entiendes alguna pregunta, él te ayudará.

MIENTRAS ESCUCHAS

1 **Lee las preguntas, escucha la noticia y luego responde (en tu idioma, si lo prefieres).**

¿La mujer era una terrorista? ....

....

¿El novio de la mujer quería robar el banco? ....

....

¿Qué quería la mujer? ....

....

¿Cuál fue la causa de todo?..

....

DESPUÉS DE ESCUCHAR

2 **Compara la noticia con la que habías inventado, ¿qué parecidos y diferencias encuentras?**

....

....

ESCUCHO Y ME FIJO EN LA LENGUA

1 **Muchas noticias se cuentan en pretérito perfecto para dar la impresión de que "han sucedido ahora mismo". Sin embargo, combinan el pretérito perfecto con el uso de otros tiempos verbales. Escucha de nuevo y completa los huecos.**

Muy buenas tardes, por fin se .... el suceso ocurrido esta mañana en el Banco Comercial de la zona centro. La policía .... el número de teléfono desde el que se .... la llamada, y .... a la mujer que .... de la colocación de una bomba en el banco. Se trata de una joven de 23 años que .... una cuenta en este banco, junto con su novio.

2 ¿Para qué se emplea cada uno de estos tiempos verbales?:

Pretérito indefinido **Pretérito perfecto** **Presente**

Para hablar de los hechos de la noticia usamos el...

Para hablar de los hechos que han sucedido antes de los hechos de la noticia usamos el...

Para hablar de los hechos que todavía suceden después de los hechos de la noticia usamos el...

CD 2 11

3 **¿Quieres saber un poco más sobre el uso de los tiempos verbales en las noticias? Mira la transcripción completa y fíjate en los tiempos verbales que aparecen en la parte final, ¿qué indica el pretérito imperfecto? Tu profesor te lo puede explicar.**

....

....

....

....

Autoevaluación

Estoy satisfecho con mi comprensión.

He comprendido bien...

- ☐ palabras y expresiones conocidas.
- ☐ palabras nuevas que puedo entender por el contexto.
- ☐ otras cosas: ....

He tenido dificultad para comprender las conversaciones por estas causas:

- ☐ La velocidad.
- ☐ Había muchas palabras desconocidas.
- ☐ Había demasiada información en poco tiempo.
- ☐ La historia era demasiado extraña.
- ☐ No podía concentrarme en la audición. ¿Por qué? ....
  ....
- ☐ Otra causa: ....

Para comprender me ha resultado útil...

- ☐ conocer las palabras clave que iban a aparecer en la noticia.
- ☐ inventar primero una posible noticia con mis compañeros (preguntas 3 y 6).
- ☐ conocer las expresiones típicas de la noticia.
- ☐ leer las preguntas antes de escuchar.
- ☐ escuchar varias veces la audición.
- ☐ imaginar el suceso que contaba la noticia.
- ☐ otras estrategias: ....

Puedes comentar con tu profesor los resultados de esta autoevaluación, él te puede ayudar a mejorar tus puntos débiles y sacar más provecho de tus puntos fuertes.

Consejos
- Conocer algunas características de los textos que escuchamos nos puede ayudar a mantener la atención y fijarnos mejor en la información importante.
- En los textos de la radio no podemos prestar atención a todo, por eso hay que fijarse en las palabras clave que nos ayuden a construir después una historia con sentido.
- Si establecemos hipótesis antes de escuchar una noticia, es más fácil entenderla después. Puedes practicar escuchando textos de la radio sobre noticias de las que ya sabes algo.

15. Luces, cámara, ¡acción!

ESCUCHAMOS JUNTOS EN CLASE

ANTES DE ESCUCHAR

1 **Somos una productora de cine. Hemos recibido el guión de un cortometraje y tenemos que decidir la puesta en escena. Primero, vamos a hacer tres grupos de trabajo.**

a. El grupo 1 tiene que elegir a los actores.

b. El grupo 2 tiene que decidir el vestuario de los personajes.

c. El grupo 3 tiene que elegir los decorados y la ambientación.

2 **Vamos a preparar los objetivos de cada grupo de trabajo. Cada grupo lee sus objetivos y piensa algunas posibles hipótesis sobre lo que va a escuchar, así será más fácil comprender después la audición. Nuestro cortometraje narra una historia de amor que sucede en el año 1920.**

a. Grupo 1. Debéis prestar atención a la descripción física y al carácter, para imaginar a los personajes. Al final, tendréis que elegir a las personas de la clase que mejor puedan representar los papeles.

b. Grupo 2. Debéis prestar atención al momento histórico, el clima, la descripción de la ropa... Imaginad cómo era la moda de ese momento y qué tipo de ropa lleva cada personaje según su edad, situación social, profesión, etc.

c. Grupo 3. Debéis prestar atención a los diferentes escenarios (exteriores, interiores), al clima, al momento del día (día/noche). Imaginad el paisaje, los edificios y los interiores.

MIENTRAS ESCUCHAS

Estrategia:
Presta atención solo a la información necesaria para tu objetivo de escucha. Puedes tomar notas al mismo tiempo en el idioma que te resulte más fácil.

3 **Vamos a escuchar el audio y tomar notas. Podemos escucharlo dos veces. No os preocupéis si no entendéis los detalles de la historia: solo necesitáis la información para vuestro objetivo.**

....

....

....

....

....

4 **Ahora, cada grupo decide y explica los siguientes aspectos de la historia:**

a. Grupo 1. Decidid entre vosotros y explicad a la clase cómo son los personajes y qué compañeros pueden representar los papeles.

b. Grupo 2. Decidid entre vosotros y explicad a la clase cómo es el vestuario de cada personaje.

c. Grupo 3. Decidid entre vosotros y explicad a la clase cuántos escenarios hay y cómo son.

....

....

....

CD 2 12

5 **Ahora vamos a escuchar de nuevo la historia para comprender mejor los detalles. Lee primero las preguntas:**

¿Qué pueden significar los lazos negros en las ventanas de la casa de Ángeles?

....

¿Qué puede significar la respuesta de la criada de Ángeles?..........

....

¿Cómo podemos interpretar la historia?..........

....

DESPUÉS DE ESCUCHAR

6 **Vamos a inventar el diálogo entre Manuel y la criada de Ángeles, para darle un final a la historia.**

....

....

....

....

....

ESCUCHO A MI MANERA

Prepara con tu profesor la audición que harás en casa.
Si no entiendes alguna pregunta, él te ayudará.

MIENTRAS ESCUCHAS

1 Lee las preguntas y luego di si las siguientes afirmaciones son verdaderas (V) o falsas (F).

V	F	
☐	☐	Ángeles se ha ido a vivir a otra ciudad.
☐	☐	Ángeles se ha casado con un empresario.
☐	☐	Ángeles ha muerto.

DESPUÉS DE ESCUCHAR

2 ¿Se parecía la historia del segundo audio a la que habías imaginado en la pregunta 5?

....

3 Ahora que conoces el final de la historia, ¿puedes hacer una interpretación de la historia del primer audio?

ESCUCHO Y ME FIJO EN LA LENGUA

Con el pretérito indefinido, el relato avanza.
Con el pretérito imperfecto, el relato se detiene.

En esta historia, el uso de los pasados es importante para interpretar bien el mensaje. Escucha de nuevo la pista 34 y fíjate en las diferencias entre el pretérito indefinido y el pretérito imperfecto con ayuda de la transcripción.

Criada: La señorita .... hace una semana.

[...]

Criada: Sí, nadie se lo .... una tragedia horrible.

Criada: Mucho peor. Se .... ella misma.

Manuel: ¿Ángeles? ¿Suicidarse? Pero... ¿Por qué .... a matarse? ¡Ella .... feliz!

Criada: Sí, eso pensamos todos. Precisamente ahora, que .... a casarse...

Manuel: ¿Casarse?

Criada: Sí, la boda ya .... lista para la próxima semana.

Autoevaluación

Estoy satisfecho con mi comprensión.

He comprendido bien...

- ☐ palabras y expresiones conocidas.
- ☐ palabras nuevas que puedo entender por el contexto.
- ☐ el sentido oculto de la historia.
- ☐ otras cosas: ....

He tenido dificultad para comprender las conversaciones por estas causas:

- ☐ La velocidad.
- ☐ Había muchas palabras desconocidas.
- ☐ La historia era demasiado rara.
- ☐ Tenía que interpretar cosas que no se decían en la audición.
- ☐ No podía concentrarme en la audición. ¿Por qué?..............................
  ....
- ☐ Otra causa: ....

Para comprender me ha resultado útil...

- ☐ buscar solo la información para mi objetivo.
- ☐ pensar en hipótesis sobre lo que podría escuchar.
- ☐ imaginar mentalmente la escena.
- ☐ inventar un posible final para la historia.
- ☐ leer las preguntas antes de escuchar.
- ☐ escuchar varias veces la audición.
- ☐ otras estrategias:..............................

Puedes comentar con tu profesor los resultados de esta autoevaluación, él te puede ayudar a mejorar tus puntos débiles y sacar más provecho de tus puntos fuertes.

Consejos

- Imaginar las escenas de la historia que escuchamos puede ayudarnos a comprender mejor la idea central y a reconstruir los detalles.
- Cuando tenemos un objetivo para escuchar, es más sencillo buscar la información que nos interesa y no perder la concentración.
- Si establecemos hipótesis antes de escuchar una historia, es más fácil entenderla después, sobre todo si también imaginamos los diálogos que pueden aparecer.

16. Si desea otra información, espere

ESCUCHAMOS JUNTOS EN CLASE

ANTES DE ESCUCHAR

1 **¿Qué dificultades tienes para hablar por teléfono en un idioma extranjero?**

No ves a la otra persona ....

....

2 **Muchas veces, cuando llamamos por teléfono para pedir una información, no nos responde una persona, sino un contestador automático.**

a. ¿Cómo es el lenguaje de estos contestadores? Intenta reproducir el mensaje de algún servicio de información.

....

....

b. ¿Cómo podemos prepararnos para realizar una llamada de este tipo en español con éxito?

....

....

MIENTRAS ESCUCHAS

Estrategia:
Cuando llamamos por teléfono, lo más importante es tener claro el objetivo de nuestra llamada y lo que queremos decir. También podemos anticipar las distintas posibilidades de lo que vamos a escuchar para reaccionar más rápidamente.

3 **Vamos a hacer tres llamadas a tres servicios de información. Lee la situación, piensa en tu objetivo para llamar y luego escucha el audio dos veces. Después, responde.**

1. Situación 1

Estás en España y quieres comprar entradas para el teatro. Llamas a Telentrada. Escucha el contestador y "pulsa" el número de la opción que te interese.

2. Situación 2

Vives en España y tienes que buscar un colegio para tus hijos. No sabes cómo funciona el sistema de escolarización y llamas al Ayuntamiento para informarte. Escucha el contestador y "pulsa" el número de la opción que te interese.

3. Situación 3

Estás pasando un año en España como estudiante Erasmus y te has puesto enfermo/a. Te duelen mucho los oídos. Llamas al servicio de petición de cita médica para pedir hora. Escucha el contestador y "pulsa" el número de la opción que te interese.

DESPUÉS DE ESCUCHAR

4 **¿Te has fijado en el tipo de lenguaje que se utilizaba? ¿Te ha llamado la atención alguna de las fórmulas empleadas?**

....

....

....

....

ESCUCHO A MI MANERA

Prepara con tu profesor la audición que harás en casa.
Si no entiendes alguna pregunta, él te ayudará.

ANTES DE ESCUCHAR

1 **Muchas veces necesitamos conocer el vocabulario específico del servicio al que llamamos, para poder entender la llamada. Vamos a practicar con un ejemplo: las llamadas a las compañías telefónicas.**

a. ¿Qué vocabulario conoces relacionado con el teléfono móvil?

....

....

....

b. ¿Por qué razones podemos llamar a una compañía de telefonía móvil?

....

....

....

MIENTRAS ESCUCHAS

2 Situación.

Estás pasando un año en España y has contratado una línea de teléfono móvil. Este mes has pagado muchísimo dinero y no entiendes por qué. Llamas a la compañía y te atiende un contestador automático. Escucha la pista 15 las veces que necesites y luego "pulsa" la opción que te interese.

3 Continuación.

Ahora toma tu teléfono móvil para que la situación sea más realista. Ya has elegido la opción que te interesa, pero para continuar con tu gestión, el contestador te va a pedir unos datos personales. Escucha la pista 16 las veces que necesites y da la información que te pide.

DESPUÉS DE ESCUCHAR

4 ¿Qué es lo último que debes hacer, según el contestador?

....

....

ESCUCHO Y ME FIJO EN LA LENGUA

CD 2 15

1 Escucha de nuevo y completa las fórmulas habituales de estos mensajes:

a. .... al servicio de atención...

b. Por ...., esta llamada puede ser grabada.

c. Si desea .... sobre...

d. Si desea .... un cambio...

e. Si su .... está relacionada con...

f. Si está .... en...

g. Si desea .... con uno de nuestros agentes...

CD 2 16

2 Escucha de nuevo y fíjate en las fórmulas de cortesía:

- ...., diga o pulse...
- ...., no le he entendido bien, ¿me lo ....?
- Por favor, espere ....

Autoevaluación

Estoy satisfecho con mi comprensión.

He comprendido bien...

- ☐ palabras y expresiones conocidas.
- ☐ palabras nuevas que puedo entender por el contexto.
- ☐ las instrucciones (del contestador) de lo que debía hacer.
- ☐ otras cosas: ....

He tenido dificultad para comprender las conversaciones por estas causas:

- ☐ La velocidad.
- ☐ Había muchas palabras desconocidas.
- ☐ Tenía que interpretar cosas que no se decían en la audición.
- ☐ No podía concentrarme en la audición. ¿Por qué?..............................
  ....
- ☐ Otra causa: ....

Para comprender me ha resultado útil...

- ☐ pensar antes en el objetivo de la llamada.
- ☐ pensar en las palabras que podría escuchar.
- ☐ conocer este tipo de mensajes en mi idioma.
- ☐ escuchar varias veces la audición.
- ☐ otras estrategias: ....

Puedes comentar con tu profesor los resultados de esta autoevaluación, él te puede ayudar a mejorar tus puntos débiles y sacar más provecho de tus puntos fuertes.

Consejos
- Puedes preparar las llamadas telefónicas de dos formas: preparando lo que necesitas saber y decir, y anticipando lo que podrías escuchar.
- No te pongas nervioso si tienes que llamar por teléfono a un servicio de información en español, siempre puedes cortar la llamada y repetirla más veces.

17. Más vale prevenir

ESCUCHAMOS JUNTOS EN CLASE

ANTES DE ESCUCHAR

1 **¿Qué consejos nos dan los anuncios sobre temas de salud? En parejas, pensad consejos para las siguientes situaciones:**

a. Protegerse contra el calor en verano

Beber mucha agua..

b. Prevenir la gripe

Usar un pañuelo al estornudar..

MIENTRAS ESCUCHAS

Estrategia:
Conocer el lenguaje de la publicidad te ayudará a comprender el mensaje.
No tienes que entender todas las palabras: busca los verbos en imperativo y los sustantivos que los acompañan.

2 **Vamos a escuchar el anuncio "Contra el calor, toma medidas". Lee las preguntas, escucha el audio dos veces y responde.**

a. El anuncio da muchos consejos. Debes, al menos, entender dos. Escúchalo y toma nota de las palabras clave para entender dos consejos.

b. ¿Quiénes son las personas más afectadas por el calor, según el anuncio?

DESPUÉS DE ESCUCHAR

3 Poned en común los consejos que habéis comprendido. Entre toda la clase, ¿habéis identificado todos los consejos?

MIENTRAS ESCUCHAS

4 Vamos a escuchar el anuncio "Toma medidas frente a la Gripe":El anuncio da tres consejos. Lee las preguntas, escucha el audio dos veces y responde en tu idioma si prefieres.

Consejo relacionado con los síntomas ....

....

....

Consejo relacionado con la higiene ....

....

....

Consejo relacionado con el uso de los servicios médicos ....

....

....

DESPUÉS DE ESCUCHAR

5 En el anuncio se dicen varias palabras relacionadas con la enfermedad, ¿podéis recordar alguna?

....

....

ESCUCHO A MI MANERA

Prepara con tu profesor la audición que harás en casa.
Si no entiendes alguna pregunta, él te ayudará.

ANTES DE ESCUCHAR

1 Ahora vas a escuchar dos anuncios diferentes. Esta vez no se dan instrucciones en imperativo, sino que muestran una situación de la vida diaria e intentan transmitirnos un sentimiento.

MIENTRAS ESCUCHAS

CD 2 19

2 **Lee las preguntas, escucha dos veces y luego responde.**

¿Quién habla en el anuncio? ....

¿Dónde está? ....

¿A quién espera? ....

¿Por qué crees que no llega esa persona? ....

....

CD 2 20

3 **Lee las preguntas, escucha dos veces y luego responde.**

¿Quién habla en el anuncio? ....

¿Dónde está? ....

¿A quién espera? ....

Interpretación del anuncio: ¿Por qué no llega esa persona? ....

....

DESPUÉS DE ESCUCHAR

4 **En tu opinión, ¿cuál de los dos estilos de publicidad es más eficaz? ¿El del primer apartado o el del segundo?**

....

....

....

ESCUCHO Y ME FIJO EN LA LENGUA

CD 2 17

1 **Escucha de nuevo y fíjate en el uso del imperativo y los pronombres que le acompañan:**

Contra el calor, ... medidas. .... agua frecuentemente.
Refrésca.......... a menudo, mója.........., protége.......... del sol y .... lugares frescos.

CD 2 20

2 **Escucha de nuevo y fíjate en el contraste de los diferentes tiempos del pasado. ¿Qué indica cada uno de ellos?:**

Qué raro, no .... todavía... Si me .... que nada más terminar la cena de empresa se .... a casa...

Autoevaluación

Estoy satisfecho con mi comprensión.

He comprendido bien...

- ☐ palabras y expresiones conocidas.
- ☐ palabras nuevas que puedo entender por el contexto.
- ☐ el mensaje central de los anuncios.
- ☐ la interpretación de los anuncios.
- ☐ otras cosas: ....

He tenido dificultad para comprender las conversaciones por estas causas:

- ☐ La velocidad.
- ☐ Había muchas palabras desconocidas.
- ☐ Tenía que interpretar cosas que no se decían en la audición.
- ☐ No podía concentrarme en la audición. ¿Por qué?..........
....
- ☐ Otra causa: ....

Para comprender me ha resultado útil...

- ☐ conocer el tema de los anuncios.
- ☐ pensar antes en posibles consejos.
- ☐ conocer este tipo de mensajes en mi idioma.
- ☐ leer las preguntas antes de escuchar.
- ☐ escuchar varias veces la audición.
- ☐ otras estrategias:..........

Puedes comentar con tu profesor los resultados de esta autoevaluación, él te puede ayudar a mejorar tus puntos débiles y sacar más provecho de tus puntos fuertes.

Consejos

- Conocer el estilo del lenguaje publicitario puede ayudarte a comprender los anuncios.
- No intentes comprender todas las palabras: solo debes seleccionar las palabras clave para reconstruir el consejo.
- Los mensajes publicitarios a veces no emplean un lenguaje directo, sino que transmiten una sensación o sentimiento. En ese caso, no es necesario comprender todas las palabras para interpretar el mensaje, porque lo importante es entender la situación y la sensación transmitidas.

18. ¿Trabajar para vivir o vivir para trabajar?

ESCUCHAMOS JUNTOS EN CLASE

ANTES DE ESCUCHAR

1 Vamos a escuchar una reunión de trabajo. Los empleados de una empresa negocian con la jefa para conseguir un derecho. ¿Qué palabras conoces en el ámbito del trabajo?

- Sueldo...

....

2 ¿Qué expresiones de acuerdo y desacuerdo conoces?

Yo no estoy de acuerdo, ...

....

MIENTRAS ESCUCHAS

Estrategia:
En los mensajes sobre un tema complicado, busca primero el vocabulario específico: te puede ayudar a reconstruir después el mensaje.

3 En esta empresa las reuniones son muy aburridas y los empleados juegan al bingo con las palabras que creen que va a decir la jefa. Hoy han preparado esta tabla de palabras. Léelas, escucha el audio y ve marcando las palabras que oigas. No te preocupes si no entiendes el contenido de la conversación: solo tienes que localizar palabras.

puntualidad	vacaciones	derecho
jornada laboral	hora de entrar	departamento
sueldo	días festivos	hora de salida
justificante médico	pausa	horas extras

4 Ahora vamos a escuchar de nuevo para comprender el sentido del mensaje. Lee las preguntas, escucha el audio y responde.

¿Cuál es el problema?

a. No se permite fumar en horario laboral.

b. Hay muchos fumadores que pierden horas de trabajo.

c. Los fumadores no tienen derecho a pausa del café.

d. Los no fumadores quieren más tiempo de pausa.

¿Qué derecho piden los empleados?

a. Derecho a fumar en horario laboral.

b. Derecho, para los no fumadores, a entrar más tarde.

c. Derecho, para los no fumadores, a la pausa del café.

d. Derecho, para los fumadores, a una pausa más larga.

¿Qué decisión toma la jefa al final?

a. Los fumadores deben entrar antes a trabajar.

b. Los fumadores deben tener una pausa más corta.

c. Los no fumadores deben tener una pausa más larga.

d. Todos los empleados deben salir más tarde de trabajar.

DESPUÉS DE ESCUCHAR

5 ¿Qué te parece la decisión de la jefa? Imaginemos que somos empleados de la empresa y tenemos que seguir negociando: ¡explica tus argumentos!

....

....

....

....

....

ESCUCHO A MI MANERA

Prepara con tu profesor la audición que harás en casa.
Si no entiendes alguna pregunta, él te ayudará.

ANTES DE ESCUCHAR

1 ¿Qué adjetivos conoces para describir a diferentes tipos de trabajadores?

Responsable, irresponsable.....

....

....

....

....

....

....

MIENTRAS ESCUCHAS

2 **Vas a escuchar a tres empleados hablando sobre la decisión de la jefa. Cada uno tiene un carácter distinto: ¿puedes descubrir cuál es? Lee las preguntas, escucha el audio dos veces y luego relaciona:**

a. Cristina	**1.** Hace cualquier cosa por ascender en la empresa.
b. Alberto	**2.** Se toma en serio el trabajo.
c. Paco	**3.** El trabajo no le preocupa mucho.

DESPUÉS DE ESCUCHAR

3 **¿Qué palabras o elementos (entonación, etc.) te han dado la clave para resolver la actividad anterior?**

....

....

....

ESCUCHO Y ME FIJO EN LA LENGUA

Escucha de nuevo el audio y presta atención a las expresiones que utilizan los hablantes para dar y pedir opinión.

CRISTINA: Esto nos pasa por idiotas. Ahora tenemos que salir 10 minutos más tarde...

ALBERTO: .... a mí .... normal, Cristina. [...]

CRISTINA: ¡No digas ...., Alberto! [...]

ALBERTO: ¡Pues ....! [...]

CRISTINA: La empresa, la empresa... ¿Y a mí .... la empresa? [...]

ALBERTO: Bueno... ¿Y tú ...., Paco?

PACO: Pues .... pienso en mis intereses. [...]

CRISTINA: Pues ...., Paco...

PACO: Pues ya ....

Autoevaluación

Estoy satisfecho con mi comprensión.

He comprendido bien...

- ☐ palabras y expresiones conocidas.
- ☐ palabras nuevas que puedo entender por el contexto.
- ☐ el mensaje central de los anuncios.
- ☐ la interpretación del carácter de los hablantes.
- ☐ otras cosas: ....

He tenido dificultad para comprender las conversaciones por estas causas:

- ☐ La velocidad.
- ☐ Había muchas palabras desconocidas.
- ☐ Había muchos hablantes diferentes.
- ☐ Tenía que interpretar cosas que no se decían en la audición.
- ☐ No podía concentrarme en la audición. ¿Por qué?..
  ....
- ☐ Otra causa: ....

Para comprender me ha resultado útil...

- ☐ concentrarme primero en el vocabulario específico.
- ☐ conocer las fórmulas para negociar.
- ☐ leer las preguntas antes de escuchar.
- ☐ escuchar varias veces la audición.
- ☐ otras estrategias:..

Puedes comentar con tu profesor los resultados de esta autoevaluación, él te puede ayudar a mejorar tus puntos débiles y sacar más provecho de tus puntos fuertes.

Consejos

- Los textos con vocabulario específico de un tema pueden ser difíciles de comprender. Es útil preparar primero ese vocabulario para apoyarse en esas palabras conocidas. Así puedes reconstruir el mensaje a partir de ellas.
- Para comprender correctamente las conversaciones debemos "ir más allá de las palabras" e interpretar la actitud o la intención de las personas que hablan.

19. Sospechosos habituales

ESCUCHAMOS JUNTOS EN CLASE

ANTES DE ESCUCHAR

1 ¿Sabes qué es una "coartada"? ¿Sabes cómo defenderte de una acusación en español? Vamos a imaginar lo siguiente: ayer por la mañana hubo un robo en el edificio donde tenemos las clases de español y tienes que demostrar tu inocencia. ¿Qué argumentos puedes dar?

....

....

....

....

2 En esta unidad vamos a practicar la comprensión de mensajes de argumentación. Los audios que vamos a escuchar están basados en un famoso juicio que tuvo lugar en España hace unos años. Estos son los datos del suceso:

Alguien ha asesinado al empresario Fernando Castillo, multimillonario de 60 años de edad, mientras dormía la siesta en su casa.

El asesino le golpeó la cabeza con un martillo y le robó el reloj (un rólex de oro).

Los principales sospechosos son el mayordomo (Miguel Octavio, 42 años) y la esposa del empresario (Soledad López, 48 años). Ambos tienen que declarar en el juicio.

Vamos a dividir la clase en dos grupos:

a. Grupo A: imaginad las posibles razones del mayordomo para cometer el crimen y una coartada para defenderse.

b. Grupo B: imaginad las posibles razones de la esposa para cometer el crimen y una coartada para defenderse.

....

....

....

....

....

MIENTRAS ESCUCHAS

Estrategia:
Conocer todos los elementos de una historia e imaginar la relación entre ellos, puede ayudarte a comprender mensajes (conversaciones, discusiones, etc.) en los que hay diferentes puntos de vista.

3 **Lee las preguntas, escucha las declaraciones del mayordomo y luego marca las respuestas que te parezcan ciertas. Puedes escuchar dos veces.**

El juez cree que el mayordomo quería matar al empresario...

a. porque ganaba poco dinero con su trabajo.
b. porque conocía su fortuna.
c. porque tenía una aventura con su mujer.
d. porque iba a perder su trabajo.

El mayordomo cree que la esposa mató al empresario...

a. porque la esposa tenía un amante.
b. porque el empresario quería el divorcio.
c. porque la esposa quería quedarse con el dinero.
d. porque la esposa le pidió ayuda a él, al mayordomo, para matarlo.

¿Cuál es la coartada del mayordomo?

CD 2 24

4 **Lee las preguntas, escucha las declaraciones de la esposa y luego marca las respuestas que creas ciertas. Puedes escuchar dos veces.**

La esposa declara que...

a. el empresario tenía una amante.
b. ella tenía confianza en el mayordomo.
c. el mayordomo quería robar en la casa.
d. el mayordomo tenía el arma del crimen.

¿Cuál es la coartada de la esposa?

DESPUÉS DE ESCUCHAR

5 El juez va a llamar a declarar al conserje del edificio donde vivía el empresario. Imaginad las posibles preguntas y respuestas del interrogatorio.

....

....

....

....

....

ESCUCHO A MI MANERA

Prepara con tu profesor la audición que harás en casa.
Si no entiendes alguna pregunta, él te ayudará.

MIENTRAS ESCUCHAS

CD 2 25

1 ¿A quién vio el conserje del edificio? Escucha y relaciona las personas que vio el conserje con lo que estaban haciendo. Puedes escuchar dos veces.

a. Al mayordomo
b. A la esposa
c. A un desconocido

1. fumando un cigarro en el jardín.
2. saliendo del garaje en coche.
3. bajando la escalera de emergencia.

DESPUÉS DE ESCUCHAR

2 ¿Te han sorprendido las declaraciones del conserje?

....

....

....

....

3 ¿Cómo crees que terminó el juicio? ¿Quién crees que es el culpable?

....

....

....

....

ESCUCHO Y ME FIJO EN LA LENGUA

1 **Escucha de nuevo y fíjate en los usos del pretérito imperfecto y el pretérito indefinido.**

a. El crimen se .... sobre las 5 de la tarde, mientras el Sr. Castillo .... la siesta.

b. Tenemos una cámara de seguridad y .... a una persona que .... por la escalera de emergencia.

2 **Escucha de nuevo, lee las siguientes expresiones y clasifícalas según su uso:**

a. Sí, así es
b. ¿Verdad?
c. No, no, imposible
d. Sí, bueno, no sé...

1. Pedir confirmación.
2. Afirmar completamente.
3. Afirmar con dudas.
4. Negar completamente.

Autoevaluación

Estoy satisfecho con mi comprensión.

He comprendido bien...

- ☐ palabras y expresiones conocidas.
- ☐ palabras nuevas que puedo entender por el contexto.
- ☐ la interpretación de los argumentos.
- ☐ otras cosas: ....

He tenido dificultad para comprender las conversaciones por estas causas:

- ☐ La velocidad.
- ☐ Había muchas palabras desconocidas.
- ☐ La historia era muy complicada: tenía muchos elementos.
- ☐ Tenía que interpretar cosas que no se decían en la audición.
- ☐ No podía concentrarme en la audición. ¿Por qué?..............................
....
- ☐ Otra causa: ....

Para comprender me ha resultado útil...

- ☐ conocer los datos y elementos de la historia antes de escuchar.
- ☐ imaginar antes las posibles razones del crimen y las coartadas.
- ☐ leer las preguntas antes de escuchar.
- ☐ escuchar varias veces la audición.
- ☐ otras estrategias:..............................

Puedes comentar con tu profesor los resultados de esta autoevaluación, él te puede ayudar a mejorar tus puntos débiles y sacar más provecho de tus puntos fuertes.

Consejos
- Imaginar o anticipar los posibles puntos de vista de las personas que van a intervenir en una conversación o debate, te ayudará a "no perder el hilo".
- También te resultará útil conocer el tipo de lenguaje que se usa en la situación comunicativa (expresiones típicas, formas de tratamiento entre los participantes, etc.).

20. La actualidad en tres minutos

ESCUCHAMOS JUNTOS EN CLASE

ANTES DE ESCUCHAR

1 **Vamos a escuchar un "boletín informativo" de unos dos minutos y medio de duración. Estos informativos de radio o televisión tienen lugar varias veces al día y cuentan las noticias más importantes siguiendo siempre la misma estructura.**

a. ¿Qué orden siguen normalmente las noticias de los informativos horarios en tu país?

b. ¿Qué elementos extralingüísticos (música, efectos de sonido) emplean?

c. ¿Cuántas voces diferentes leen las noticias?

2 **Vamos a escuchar un boletín informativo español, correspondiente al lunes 12 de julio de 2010, a las 10 de la mañana. Ese día había una noticia muy importante para el deporte español. ¿Sabes cuál? Además, ese día pasaron otras muchas cosas. Las imágenes te pueden ayudar.**

MIENTRAS ESCUCHAS

Estrategia:
Es útil conocer la estructura de los mensajes informativos para localizar la información que queremos.

CD 2 26

3 **Vamos a escuchar el informativo para familiarizarnos con el estilo y la estructura. Lee el nombre de los elementos y secciones del informativo, después escucha y ordénalo:**

- ☐ Saludo y hora
- ☐ Señales horarias
- ☐ El tráfico
- ☐ Información internacional
- ☐ La cultura
- ☐ Los deportes
- ☐ El tiempo

CD 2 26

4 **Ahora, vamos a escuchar de nuevo para identificar el tema de las diferentes noticias. No es necesario comprenderlas, solo hay que anotar una o dos palabras de cada una para saber cuál es su tema.**

Primera noticia:...

Segunda noticia: ....

Tercera noticia:...

Cuarta noticia:...

Quinta noticia: ....

DESPUÉS DE ESCUCHAR

5 **¿Hay parecidos y diferencias con el estilo y la estructura de los informativos de tu país?**

....

....

....

6 **Ahora ya sabes cuál es el tema de las noticias del 12 de julio de 2010 en España. ¿Cuál de ellas te interesaría comprender en detalle?**

....

....

....

Prepara con tu profesor la audición que harás en casa.
Si no entiendes alguna pregunta, él te ayudará.

La actualidad en tres minutos

MIENTRAS ESCUCHAS

1 **Escucha de nuevo el informativo para prestar atención solo a los detalles de la noticia que te ha interesado. Lee las preguntas, escucha tu noticia y luego responde en tu idioma si lo prefieres. Puedes escuchar dos veces.**

¿Dónde ocurre la noticia? ....

¿Qué ocurre? ....

¿Habla de alguna persona? ¿Quién? ....

¿Hay algún número? ¿Cuál? ....

DESPUÉS DE ESCUCHAR

2 **Si quieres volver a practicar, puedes repetir la actividad anterior con otra noticia diferente.**

ESCUCHO Y ME FIJO EN LA LENGUA

El lenguaje periodístico tiene fórmulas específicas para:
a) Comenzar los programas informativos.
b) Cambiar de tema.
c) Finalizar el programa.

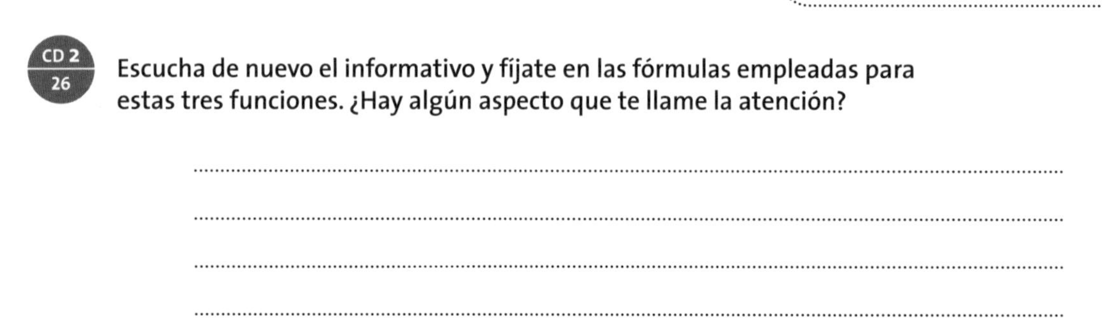

Escucha de nuevo el informativo y fíjate en las fórmulas empleadas para estas tres funciones. ¿Hay algún aspecto que te llame la atención?

....

....

....

....

Autoevaluación

Estoy satisfecho con mi comprensión.

He comprendido bien...

- ☐ palabras y expresiones conocidas.
- ☐ palabras nuevas que puedo entender por el contexto.
- ☐ el tema de las noticias del informativo.
- ☐ detalles de la información que me interesaba.
- ☐ otras cosas: ....

He tenido dificultad para comprender las conversaciones por estas causas:

- ☐ La velocidad.
- ☐ Había muchas palabras desconocidas.
- ☐ Había demasiada información diferente en poco tiempo.
- ☐ Los temas de las noticias eran desconocidos para mí.
- ☐ No podía concentrarme en la audición. ¿Por qué? ....
  ....
- ☐ Otra causa: ....

Para comprender me ha resultado útil...

- ☐ anticipar con imágenes los temas de las noticias.
- ☐ identificar primero las palabras clave de todas las noticias.
- ☐ prestar atención solo a los detalles de una noticia.
- ☐ escuchar varias veces la audición.
- ☐ otras estrategias: ....

Puedes comentar con tu profesor los resultados de esta autoevaluación, él te puede ayudar a mejorar tus puntos débiles y sacar más provecho de tus puntos fuertes.

Consejos

- Conocer la estructura y las fórmulas propias de los programas de los medios de comunicación te ayudará a encontrar la información que te interesa.
- Cuando escuchamos un informativo, nunca prestamos atención a todos los detalles, solo a las noticias que queremos conocer.
- Puedes practicar de nuevo tu comprensión de los medios de comunicación escuchando los informativos que encontrarás en las páginas web de las emisoras de radio y televisión. Sigue los pasos que hemos dado en esta unidad.